まえがき

2024年３月で福島原発事故から13年がすぎた。「明らかにする会」は、小児甲状腺がんの多発の原因が福島原発事故により放出された放射性物質による被ばくにある事実をこれまで、３度にわたるブックレットの出版や学習講演会などの開催を通じて明らかにしてきた。被ばくによるとする根拠は、学術論文やブログ等を通じて公開している。例えば、福島原発事故の被ばく量を推定しているUNSCEAR（原子放射線の影響に関する国連科学委員会）の誤りをただし、原発事故避難者の訴訟においては原発賠償関西訴訟本行忠志専門家証言などによって政府・東電側の主張を、論文をめぐる福島県立医大との論争においても科学的な論拠で圧倒してきた。しかし、残念ながら、その成果を社会に広く十分伝えるのに成功しているとはまだいいがたい。そこで、真実の探究と共有のために第４ブックレットを世に問う。

本ブックレットは３部構成となっており、第Ⅰ部では、福島原発事故による被ばくと多発している甲状腺がんについて考察しており、全体を通じて、政府側が甲状腺がんの原因を否定する根拠としている「被ばく量が非常に少なかった」がまったくの誤りである事実を理解していただければ幸いである。

本行忠志論考は、UNSCEARの過小評価と間違いを詳しく具体的に説明しており、その上、低線量被ばくも危険であることを最近の科学的知見を加えて解説している。

加藤聡子は、甲状腺被ばく線量に比例して小児甲状腺がんが発生している事実を明瞭に示している。この甲状腺被ばく線量と小児甲状腺がんの発生率の相関は福島県立医大やUNSCEARによって頑なに否定され、被ばくと健康破壊の間に関係がないとする論拠とされてきた。しかし、正しく解析すれば、福島県立医大の論文にあるデータを用いて発生率と被ばく線量は驚くべきほどの比例関係を示す。被ばくと甲状腺がん多発とに因果関係ありとするこの相関は、福島県立医大がデータをいかに誤用しているかを示すものでもある。

田口茂は、UNSCEAR議長との手紙のやり取りを報告、大倉弘之は、がん統計等から福島の甲状腺がんの原因を考察している。

第Ⅱ部は、福島の深刻な現状を伝える。飛田晋秀写真レポートは、避難指示解除が進む福島県内の各地の被ばく線量を実測し、深刻な汚染が続いているのを数値でもって明らかにしている。毎時5から10μSvを超える空間線量の汚染が各地にあり、これは、年間にすると50から100mSvの被ばくに相当する。これほどの高線量下での住民の暮らしを「復興」だとしてと喜べるのだろうか。

福島敦子と避難者「るる」は、自らの避難の経験、健康被害の体験を語る。命と健康を守るという基本的人権が政府・東電によって踏みにじられている現実に怒りを抑えることができない。医療保障の継続・拡大が緊急の課題である。広島・長崎の黒い雨と同様、UNSCEAR推定値よりも桁違いに大量の放射性微粒子が東北・関東の住民多数を襲った。この放射性微粒子による内部被ばくはがんのみならず、多様な健康破壊を引き起こし始めている。原発事故による被ばくの可能性のあるすべての人に健康手帳の交付が必要である。そのための署名運動も展開されている。

第Ⅲ部では、放射線被ばくの強制が基本的人権に反している問題をICRP勧告（Publication146）やトリチウムほか放射性核種を含むALPS処理汚染水海洋放出（投棄）事例をとりあげ、山田耕作が批判的に考察している。

以上から、このブックレットが被災者、避難者の権利回復の運動の発展にお役に立てることを願う。

2024年3月31日

執筆者一同

第Ⅰ部 福島原発事故による被ばくと甲状腺がん

1 福島原発事故による被ばくに関するUNSCEAR推定値と1,080名実測値および低線量被ばくについての考察

本行忠志

大阪大学医学部卒、医学博士（放射線生物学）
大阪大学名誉教授、大阪大学大学院医学系研究科招聘教授

はじめに

福島原発事故から13年経つが、甲状腺がんの多発は続いている。

国や関係機関は、「原発事故の影響とは考えにくい」と言い続けているが、その根拠としているのは、ほとんどが、UNSCEAR 2020/2021が報告した被ばく量の推定値と1,080名の実測値である。それらの被ばく量は非常に少なく、UNSCEAR 2013報告書と比べても1桁少なくなって、著しく低い推定線量となっている。

第1章では、UNSCEAR 2020/2021報告書の問題点と1,080名甲状腺直接計測の問題点を挙げている。UNSCEAR報告書は、福島の被ばく量の推計を行っているが、誰が見ても首をかしげたくなる点が多々あ

り、いたるところに過小評価の努力の跡がみられる。なお、多くは、2023年発刊の『チェルノブイリ並み被ばくで多発する福島甲状腺がん』で詳述しているので、今回は、やや簡略化したものになっている[1]。30km圏外非避難者の1,080名甲状腺直接計測に関しては、被ばくの程度を較べるため、測定部位は異なるが20km圏内11万人超の避難者の汚染スクリーニングも取り上げた。1,080名甲状腺直接計測は、当時の原子力安全委員会が「簡易モニタリング」であり、「健康リスクを評価するのは乱暴すぎる」と評価したしろものである。一方の避難者の汚染スクリーニングは、実際の被ばくが、いかに酷かったが想起され、決して低線量被ばくだけではなかったことの証拠となっている。

第２章では、低線量被ばくでもがんが発生する根拠を挙げた。放射線の感受性には大きな個人差があること、特に胎児や小児は放射線に弱くて、実際にがんが発生している報告例が多くあること、内部被ばくの特性や複合影響を考慮すると低線量被ばくでもがんのリスクが高くなることなどを取り上げた。

本文をお読みいただき、UNSCESAR報告書がいかに過小評価か、1,080名計測がいかにいい加減か、こどもを守るべき文科省が「小学生のための放射線副読本」で子どもたちにいかに罪作りなことをしているか等々理解していただき、日本が、このままで、核被ばく国として被ばく防護や被ばく評価のお手本となり得るかどうか判断していただきたい。

そして、負の遺産を子孫に残さないために、どのようにしたらいいかをともに考えていただければ幸いである。

第１章　福島原発事故による被ばく量のUNSCEAR推定値と1,080名実測値の問題点

１．UNSCEAR 2020/2021報告書の推定値

１−１　UNSCEARについて

UNSCEARは核実験による放射性降下物の危険性が批判される中で、核実験の加害者側であり、マンハッタン計画の後続機関である米原子力委員会関係者の強い働きかけによって1955年発足した委員会である[2]。それは一見、独立した科学機関に見えるが、科学者ではなく政治指導者が科学者を選出する、政治的にコントロールされた、放射能被ばくによる環境と医療への影響を評価する委員会である[3]。

１−２　UNSCEAR 2020/2021報告書について

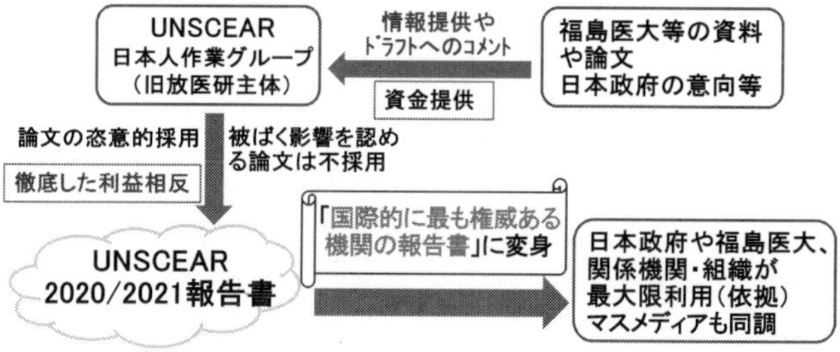

図１　日本のデータが権威あるUNSCEAR報告書に変身する流れ

図１は、日本のデータが権威あるUNSCEAR報告書に変身する流れを示した図である。

日本のデータがUNSCEARの日本人作業グループにわたり、被ばく影響を認めるような論文は不採用にして、都合の良い論文が恣意的に採用されて、UNSCEAR 2020/2021報告書が出来上がっている。すなわち徹底した利益相反が行われて「国際的に最も権威ある機関の報告書」に大変身をする流れになっている。これを日本政府や関係機関、

福島医大などが完全依拠して最大限利用する仕組みになっている。ほとんどのマスメディアも同調している。

そして、報告書は、「推定された甲状腺吸収線量において、県民健康調査の検診プログラムで見られたような甲状腺がんの大幅な過剰は、予測されないであろう（パラグラフ226(a))」と結論している。

1－3　UNSCEAR 2020/2021報告書の問題点

この報告書は、私が調べた限り、甲状腺被ばくに関するものだけでも100以上の問題個所が見つかっているが、重複するところも多く、項目別に整理すると大きくは、次の５つの過小評価に集約される。

①　甲状腺ヨウ素取り込み率を２分の１にした

日本人はヨウ素摂取量が多いからと係数を２分の１にしたことが挙げられる。

UNSCEAR報告書には、「日本人は伝統的にヨウ素を多く含む食事をしており、ヨウ素摂取量は世界平均より約２桁大きいからヨウ素の甲状腺等価線量係数を２分の１にした」という文章が何回も登場する。しかし、例えば、UNSCEARのAttachment A-２の日本人のヨウ素摂取率として採用している資料は、55年前のわずか数人の大人に関するデータや北海道に限局したヨウ素摂取量に幅があり過ぎるデータや十数人の大人のポスター発表データなどで根拠に乏しい[1]。

そして、世界の国の小児のヨウ素栄養状況を調査した報告によると、日本は、ヨウ素過剰摂取国ではなく、ヨウ素標準摂取国であることを示している[4]。

②　屋内退避効果を２分の１にした

報告書によると、「Hirouchiらの報告でプルーム（放射性雲）の通過中に屋内にいた住民の吸入による線量被ばくの低減係数は、0.1未満から約１の範囲であった[5]。したがって、本委員会は、住民が屋内にいた時の吸入による線量の評価に対して0.5の低減係数を用いた。」

とあるが、0.5にした根拠は書かれていない。Hirouchiの実験では、プルーム通過時間を１時間とし、プルーム内の空気濃度を1.0Bq/m^3、すべて粒子状と仮定しており、実際の長時間高濃度プルームに対して大きな過小評価につながることになる。

名古屋大学の山澤弘実教授は、プルームが１時間存在した場合、プルームが通過後も閉鎖している時の屋内の累積濃度は、換気率にかかわらず、数時間～半日で野外と同じ程度になると報告している[6]。また、原子力規制委員会放射線防護グループが作成した「2021年の屋内退避による被ばく低減効果に関する概要報告」[7]によると、有機状ヨウ素の場合、反応性が低く、壁面等に付着しにくいことから、浸透率１（すべて侵入）、沈着率０（沈着しない）と仮定しており、風速3.5m/sの場合、低減係数は、一般建物では築年数に限らず１、高気密住宅でも0.79と極めて低減効果が少ないとしている。

以上より、UNSCEARが低減係数を0.5にした理由はみあたらず、むしろ長期間屋内滞在は危険であり、低減係数は１にすべきである。

③　避難者の飲料水以外の経口摂取被ばくを無視した

UNSCEAR 2020/21報告書では経口摂取による被ばく推計に食品摂取を含まず、飲料水のみ算定した結果、甲状腺吸収線量は、2013年の一律32.79mGyから、1.1～数mGyに大きく減少している。「食品や農産物に関連する対策は、効果的に実施されたため、食品の経口摂取による被ばく線量は無視できる」としている。

報告書が採用したHirakawaらの論文では、自治体が運営・管理する代表的な避難所のみを調査して、「ヨウ素131に汚染された食品や物資は、食品制限令以前から一般に大量に消費されない状況であった」と結論しているが、実際は、事故直後、汚染食物の摂取や流通があった実例が報告されている。例えば、浪江町民が津島に避難した３月12日以降、避難先で路地野菜の炊き出しを食べた。（https://www.asahi.com/articles/DA3S14471890.html）、事故後10日間廃棄処分の牛乳を

３世帯で飲んでいた（https://togetter.com/li/677668）、３月16～17日の川俣町の原乳を県内でヨーグルト加工し出荷した（https://www.mhlw.go.jp/stf/houdou/2r98520000015iif.html）、などである。

また、報告書は、「陰膳方式の調査による測定から行われた推定では、放射性セシウムの摂取のみを反映する（放射性ヨウ素は、調査開始時までには測定不可能となっていたため）」としており、甲状腺被ばくをもたらす点で重要な放射性ヨウ素の影響を無視している。

さらに、報告書は、「福島市の推定線量は、食品および飲料水の経口摂取による福島県全体としての住民の被ばく線量を代表すると考えられている」としているが、例えば、福島市と浪江町の空間線量率や土壌中放射能には１桁以上の違いが見られており、決して同じような線量ではなかったことは明らかである。

④　プルームによる吸入被ばく推定に用いたモデル計算は、２桁以上の不確実性を伴う

UNSCEAR報告書は、「いかなる特定の場所においても、当該推定値はかなりの不確かさを伴い、ATDM（大気輸送・拡散・沈着モデル計算）直接法は、福島県の中央部（中通り渓谷）と西部で濃度を著しく過小評価し、時には何桁も過小評価した」などと、吸入推定値の不確かさを自ら強調している。

黒川眞一名誉教授が、「報告書が採用しているTerada論文のATDMは３月15日から16日に福島市の中心部を襲った第１プルームをとらえておらず、ヨウ素131の大気中濃度を１/100に過小評価している。」と述べていることとの関連が考えられる。

⑤　推定値は最大値を示さず、平均値で示している

危険なものを推定する場合に最も重要なことはその最大値であるが、報告書は平均値のみの推定のため、個人個人の被ばくは全く不明のままである。しかも、10万人以上の避難者の推定値をわずか40通りの被ばく推定値（40シナリオ）で避難者全員の被ばく状況をカバーできたとしている。ただ、報告書の後から発表された補助資料（Attachment）を注意深く読むと40シナリオの詳細がそれぞれのシナリオの線量分布のグラフから読み取れるようになっている。例えば、シナリオ29の線量分布図（図２）でみると、推定甲状腺吸収線量の最大値は、700mGyで、中央値の100倍、平均値の23倍であることがわかる。すなわち、平均値のみの提示は大きな過小評価であることがわかる。これは、被災者の健康影響を軽視した極めて深刻な問題である。

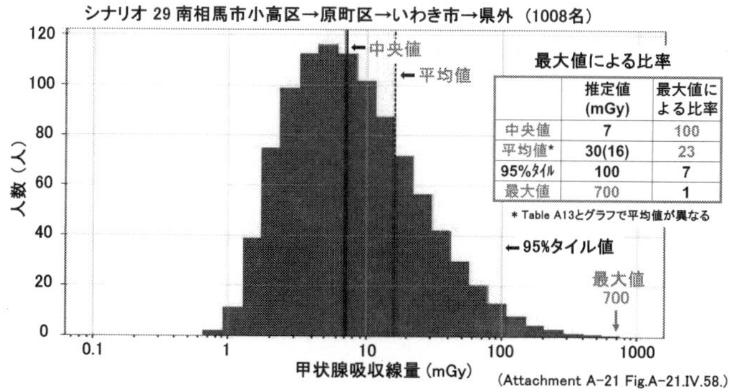

	推定値 (mGy)	最大値による比率
中央値	7	100
平均値*	30(16)	23
95%ﾀｲﾙ	100	7
最大値	700	1

(Attachment A-21 Fig.A-21.IV.58.)

図２　シナリオ29の線量分布図

1－4　被ばく推定値を下げすぎた結果、EAR/Gyは50～100倍の値に

前述のように、UNSCEAR 2020/2021報告書では、被ばく推定値を過小評価の積み重ねで可能な限り下げているが、その結果、EAR/Gy（１Gyあたりの過剰絶対リスク係数）が、とんでもない値になっている。加藤らは、チェルノブイリにおける甲状腺直接測定値と甲状腺がん年間発生率から求めたとグラフと福島におけるUNSCEAR報告書の推定値と甲状腺がん年間発生率には線量反応関係があり、福島のグラフの傾きは、チェルノブイリの50～100倍の値に達すると報告している[8]。同じ年代の同じ疾病であればEAR/Gyは、国が違ってもほぼ同程度になることが一般的なので、これはUNSCEAR報告書の推定値が１/50～１/100の過小評価になっていると解釈するのが自然である。

1－5　第66回日本放射線影響学会での反響

筆者は、2023年11月、放射線影響に関する学会では最も規模が大きいと考えられる日本放射線影響学会で口頭発表した[9]。タイトルは「福島原発事故による被ばく線量の推定に使用されたUNSCEAR 2020/2021報告書には、100以上の問題点が見られる」（実際は英文タイトル）で、発表後の討論で鈴木元先生をはじめ、有名な放射線専門の先生方も参加されていたが、反対意見は全くなかった。そのセッションの後でUNSCEAR 2013報告書の作成に携わった先生からは、「UNSCEAR 2020/2021報告書の被ばく推定値がUNSCEAR 2013報告書に比べてこんなに（約1桁）低くなっている理由がやっとわかりました。是非論文にしてください。」とコメントを頂いた。

2．避難者の汚染スクリーニングと非避難者の1,080名甲状腺直接計測

福島原発事故による住民の被ばくの実態を知る上で欠かせないものが2つある。それは、避難者の汚染スクリーニングと非避難者の1,080名甲状腺直接計測である（表1）。

表1　避難者汚染スクリーニングと非避難者1,080名甲状腺直接計測の比較

	避難者汚染スクリーニング	1,080名甲状腺直接計測
対象者	20km圏内の避難者 約114,000人	30km圏外の非避難者 1,080人（15歳以下）
測定場所	避難場所（福島全域）	川俣町、いわき市、飯舘村
測定日	3月12日より開始	3月26日～3月30日
（簡易）測定器	GM サーベイメータ	NaIシンチレーションサーベイメータ
測定値	1.3万-10万cpm：901人以上 （1.3万cpm=1歳児100mSv相当） 10万cpm以上：102人以上	半数以上（55%）が0mSv以下 平均値数mSv、最大35mSv BG*0.2μmSv/h以上での計測不可
UNSCEAR報告書では	40通りの避難者シナリオで網羅	被ばく量の基本となり得る値
備考	本来は1.3万cpm以上は甲状腺計測や安定ヨウ素剤投与を予定していた	サーベイメータで甲状腺の被ばく線量とBG*を分けるのは困難

*BG：バックグラウンド

2－1　避難者の汚染スクリーニング

避難者汚染スクリーニングに関しては、UNSCEAR報告書には、40のシナリオとして登場するが、スクリーニング検査で、１歳児の甲状腺等価線量100mSvに相当するとされる13,000cpm以上が1,000人以上いた事実には一切触れていない。経産省政務官は「20km圏内の住民は、避難指示がなされたことにより、放射線量が増加し始めた頃には、既に避難は完了し、20-30km圏《屋内退避区域》は屋内退避が機能したと認識している。」と答弁している[10]が、原発から半径20Km圏内の大熊町、双葉町、富岡町、浪江町の一部住民に避難指示が出たのは３月12日午後６時25分で、住民は、被ばくに関する情報がなかったため、原発から北西に向かって、ちょうど高線量域に沿って避難したことになった住民や最初の避難場所も高線量域だった人々が少なからずいたと言われている（図３A）。

また、大渋滞で避難中にプルーム（放射能雲）を浴びたり、避難が

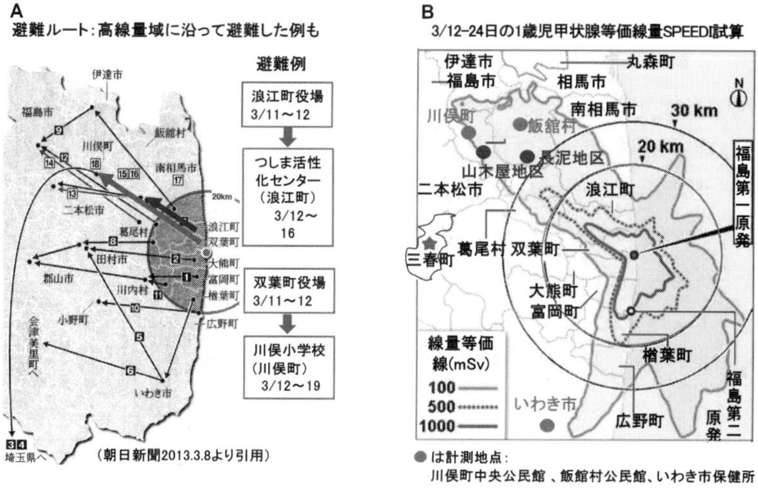

図３　避難者の避難ルートと非避難者の1,080名計測地点

遅れたりした住民もいたとされている。その場合は、表２の“回避された量”が、そのまま被ばく量となり得るので、例えばシナリオ２や４の場合は、480mSv浴びたことを意味する。

表２　福島県の自治体から避難した幼児の推定甲状腺吸収線量

地　域	シナリオ番号	避難先	1歳児の甲状腺吸収線量(mGy)				
			避難中	避難先	事故直後1年間の合計		回避された量
					平　均	95パーセンタイル	
双葉町	2	茨城県	14	0.68	15	47	480
双葉町	4	郡山市	12	3.7	15	43	480
浪江町	21	相馬市	12	2	14	45	110
浪江町	24	米沢市	12	0.37	13	44	110
小高町	29	新宿区	30	0.23	30	100	—
小高町	32	新宿区	23	0.23	23	76	—
小高町	33	埼　玉	14	0.19	15	44	6.2

（UNSCEAR 2020/2021Report Table A13より引用）

各避難先で避難者の汚染スクリーニングが行われている。事故の初期対応での除染のスクリーニングレベルは13,000cpmとされていたが、３月14日からは、現場が対応しきれないという理由で、100,000cpmに大きく引き上げられている。原子力安全委員会は、「13,000cpmは安定ヨウ素剤投与の基準値となる等価線量約100mSvに相当するので、100,000cpmまで上げずに現行のままで据え置くように」と助言したが、現場に押し切られ追認している（原子力安全委員会平成23年３月14日）。

そして、13,000cpm～100,000cpmと計測された人が901人以上（記録されてない人が多数存在）、100,000cpm以上の人が102人記録されており（これも記録されてない人が存在）、甲状腺等価線量が100mSvを超えた人が多数存在し、さらには、700mSv以上被ばくした人の存在も予想される。

既出の図２における避難者（シナリオ29）の被ばく分布図でも、最大700mGy(注)の存在が示されている（(注)甲状腺等価線量はmSvで甲状腺推定吸収線量はmGyで表すがmSv=mGyと考えて良い）。

汚染スクリーニングの目的として、除染の他、13,000cpmが安定ヨウ素剤投与の基準となっていたが、甲状腺の直接計測は全く施行されず、内服の指示もなかったとされている。計測してから安定ヨウ素剤を内服しても遅すぎるので、少なくとも避難者には、避難開始時までに、被ばく量（あるいは被ばく予測値）にかかわらず、内服してもらうべきである。

2－2　非避難者の1,080名甲状腺直接計測

2011年３月12日から24日の１歳児甲状腺等価線量SPEEDI試算により、100mSvと推定された境界域あたりの３カ所（川俣町中央公民館、飯舘村公民館、いわき市保健所）が測定地点に選ばれて、３月26日から30日にかけて、小児の甲状腺直接簡易計測が行われた（図３Ｂ）が、多くの問題点があった。

①　測定地点の問題点

避難や屋内退避の指示が出ていない30km圏外が「最も線量の高い地域」と判断され[9]、SPEEDIやモニタリングのデータから、より線量が高いと見込まれた川俣町と飯舘村、大都市のいわき市が測定対象に選ばれたとされているが、図３BのSPEEDIの予測線量をみれば、避難地域の方が被ばく量はけた違いに高そうに思える。

2011年３月24日に川俣町山木屋出張所周辺住民の計測も行っているがバックグラウンド（以下BGと表示）が高すぎたとして不採用にして、３月26日から計測した川俣町中央公民館周辺住民の計測（BGは山木屋の１/10以下）を採用している（山木屋地区は後に計画的避難区域に指定された）。

一方、飯舘村の役場は、計測地点の１つであったが、その約10km南に位置する長泥地区は2023年５月に解除されるまで飯舘村内でも長

期に避難指示区域とされていた高線量地域であり、2011年３月に計測が行われた時期も村役場より１桁以上高い空間線量率であったことが報告されている（図３B）[11]。

要するに、BGが0.2μSv/h以下の場所を探して３地点に落ち着いたのであって、1,080名計測地点が「最も線量の高い地域」でないことは明らかである。

②　測定方法の問題点

測定は簡易測定器使用のため核種の同定はできていない（チェルノブイリはスペクトロメータ）、測定時期が遅すぎて人体への影響が強い短半減期ヨウ素等はほとんど計測されていない、計測した人数が少なすぎる（チェルノブイリは30万人以上）といった問題点もある。さらに重要なことは、首の回りを汚染の無い濡れタオルで拭き、除染して計測、肩口付近の着衣を除染せずにBGとしたことである。そして、首の計測値からBGを引いた正味値は、半数以上（約55%）が０やマイナスだったことである。

一般的に、事故前のBGより高くなっている場合は、図４Aのように被ばく初期においては、放射性ヨウ素の空間に占める割合が極めて

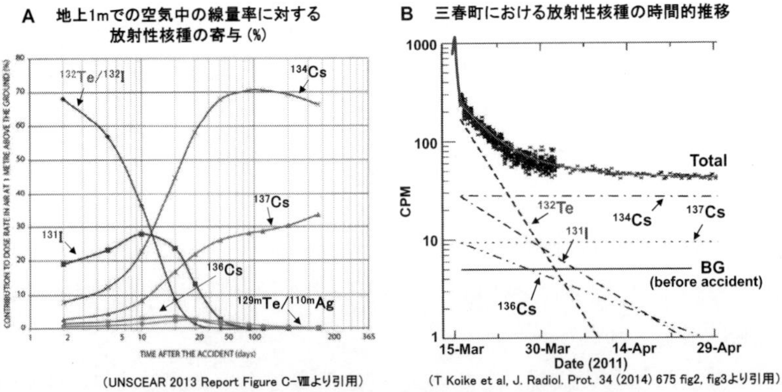

（UNSCEAR 2013 Report Figure C-Ⅷより引用）　（T Koike et al, J. Radiol. Prot. 34 (2014) 675 fig2, fig3より引用）

図４　原発事故で放出された放射性核種の時間的経過

大きいため、甲状腺はその放射性ヨウ素を取り込んでしまっており、甲状腺被ばく量は空間線量率にほぼ対応すると考えられる。

そして、その時の空間線量率は、図4Bのように、放射性ヨウ素を主とする核種の合計で構成されるので、それをBGとした場合、甲状腺被ばく量との差は生じにくい。計器の測定誤差も考慮する必要がある。したがって、頚部の測定値からBGを引けば0かマイナスになる可能性がある。原発事故後3週目ころでも、空間線量率が10μSv/h以上の場所は多く存在しており、その値が0.2μSv/h以下であった所で計測された値（正味値がプラスでも0.01μSv/hレベル）が意味を持つとは考えにくい。

実際、2011年9月5日の原子力安全委員会にて斑目春樹委員長は、「個々の健康リスクは評価できない」とし、久住静代委員は、計測値から個別の内部被曝線量を推計し健康リスクを評価するのは「乱暴すぎる」と発言している[12]。そして、2011年9月9日の同委員会では、「今回の調査は、スクリーニングレベルを超えるものがいるかどうかを調べることが目的で実施された簡易モニタリングであり、測定値から健康影響やリスク評価したりすることは適切ではないと考える」と述べており、測定値の基準や基礎とはなり得ないことが強調されている。

核事故が起きた際、簡易計測では甲状腺の正確な実測は全く不可能であることを肝に銘じるべきである。

2-3　福島の実測値とチェルノブイリの実測値の比較について

表3は、「福島とチェルノブイリの被ばく量は何桁も違う」の決め手の表として広く利用されている。

どちらも実測値であるが、福島とチェルノブイリでは被ばくした人の条件が全く異なっている。左の福島は不正確、不適切な30km圏外（避難区域外）の非避難者の1,080名甲状腺直接計測の表で、半分以上

表３　福島とチェルノブイリの被ばく量は何桁も違うとされている表

甲状腺等価線量の分布　(H29 学術会議　子どもの放射線被ばくの影響と今後の課題p22)

福島

30km圏外（避難区域外）の非避難者

1,080人

測定方法が不適切

甲状腺等価線量(mSv)	福島原発事故飯舘村、川俣村、いわき市の15歳以下(1080人)	甲状腺等価線量(mSv)	チェルノブイリ原発事故ベラルーシ、ウクライナ避難者の14歳以下（約2.5万人）
0	55.4%	<50	0.8%
0~10	31.7　99%以上	50~100	6.5
10~20	10.5	100~200	7.7
20~30	1.9	200~500	38.4
30~40	0.3	500~1000	19.6
40~50	0.1	1000~2000	18.7　99%以上
50~60	0.1	2000~5000	5.6
60~70	0.1	>5000	2.7

(UNSCEAR 2008　Vol Ⅱ Tab B4)

チェルノブイリ

30km圏内（立ち入り禁止区域）の避難者

約25,000人

が０かマイナスで、最大でも35mSvなので、極めて低い線量分布になっている。これに対して、右のチェルノブイリの場合は、30km圏内（立ち入り禁止区域）の避難者であるため、高線量被ばくとなっているのは当然である。

これは、あえてミスリードをもくろむ表と言わざるを得ない。この比較の表は、実際には、福島原発事故による避難者訴訟や311子ども甲状腺がん訴訟の被告側の意見書や過剰診断論の根拠として利用されているが、明らかにミスリードである。

２－４　危険な短半減期ヨウ素等の存在（^{131}Iだけではない）

図４Ａのように、^{132}I、^{132}Te、^{133}I、^{135}Iなど短半減期ヨウ素、テルルは、事故直後の存在割合は最も高いが、ほとんどが数時間の半減期のため、それらの計測は、被ばく初期にしかできない。そして、^{132}Te原子（半減期3.2日）の最初の崩壊に続いて、娘核種である^{132}I（半減期2.3時間）の２回目の崩壊は、高い確率で、誘導修復過程にあるその同じ細胞をヒットすることが可能なため、きわめて放射能の高い^{132}Te/^{132}Iのセカンド・イベントのペアが、初期被ばくにおける主要な危険因子となっていると考えられる[13]。したがって、真の甲状腺被ばく線量はもっと多かった可能性が高い。

鈴木元氏は、原子力安全委員会で「事故のときに気をつけないといけないのは、半減期が８日の^{131}Iだけが実際は出されているのではなくて、もっと短半減期のヨウ素がいっぱい出ているわけです。それはかなりスパイクに近い形で甲状腺への照射を、内部被ばくをしているはずなので、結局それの方が本当は発がんのイニシエーションとしては意味があった可能性がある。その線量は現実的には評価できない状況にあるというのが、今の現実なんだろうと思います。」と述べている[14]。

これは、チェルノブイリ原発事故について語ったものだが、福島原発事故でも全く同じことが言える。

短半減期ヨウ素の甲状腺等価線量係数が小さすぎる（^{132}Iは^{131}Iの約１/100）ため、甲状腺への影響は軽視されているが、NCRP（米国放射線防護・測定審議会）1985において、「短半減期核種である放射性ヨウ素と放射性テルルの被ばく線量全体への寄与が小さくても、甲状腺癌誘発における短半減期核種の影響が^{131}Iより大きい可能性があるという疑いがあるために、その寄与を推計するのは重要である。」と報告されており、注視していく必要がある。

第２章　低線量被ばくでもがんは発生する

１．放射線感受性には個人差がある

１−１　放射線感受性が高くなる遺伝子がある

DNAは毎日自然にも傷ついており、その傷には塩基損傷、１本鎖切断、２本鎖切断などがある。そして、放射線によるものは、２本鎖切断の割合が大きく、低線量でも線量に応じて傷つくことが知られている[15]。多くは修復されるが、２本鎖切断は修復されにくく、修復されても誤って修復されやすいので非常に危険な傷と言われている。そして、ATM、NBS１、BRCA１/２遺伝子などはDNA２本鎖切断修

復に重要な役目を果たしている遺伝子でこれらの遺伝子にもともと異常があると放射線感受性が高くなることが知られている。

ATM遺伝子は毛細血管拡張性運動失調症の原因遺伝子で生まれつきこの遺伝子の異常をヘテロ接合の形で持っている人が世界に６％存在すると言われている[13]。

BRCA１やBRCA２遺伝子の一方が変異している場合は、乳癌や卵巣癌、前立腺癌の発症リスクが高くなり、これらの変異を有する女性では30歳前のレントゲン、マンモグラフィーやCTにおいても乳癌リスクが増加することが報告されている[16]。

表４は、放射線感受性が高くなる遺伝子と疾患が多数あることを示しており、誰がこれらの異常遺伝子を持っているかわからないため、持っていると仮定して行動することが賢明である[17]。

1－2　若いほど放射線感受性が高い

理由としては、(i)胎児・小児は細胞分裂が盛んなため、放射線感受性が高い（ベルゴニー・トリボンドーの法則）、(ii)胎児・小児は増殖能の高い骨髄（赤色骨髄）の占める割合が高い（新生児=100%、５歳児=約70%、成人：約30%、ICRP Publ.70）、被ばく年齢が若いほど白血病を発症しやすい（原爆放射線の人体影響1992）、(iii)若い程、被ばく後の生存期間が長く、被ばく時年齢が若いほど発がんリスクは上昇する（BEIR ⅦReport）、(iv)内部被ばくの場合、胎児・小児は成人に比べてその放射線（α線あるいはβ線）の相対的な被ばく範囲が広い、などが考えられる。

実際、胎児期や小児期の被ばくによるがんの発生が多数報告されており、①～④および表５に示す。

①　胎児期の被ばく（妊娠中のX線による骨盤計測）

Alis Stewartが1950年代に最初の報告をして、その後オックスフォード小児がん調査（OSCC）として、報告が重ねられている有名な研

表4　放射線感受性が高くなる遺伝子と疾患

原　因	疾　患	遺伝子異常	備　考
非相同末端接合(NHEJ)の欠損	重症複合免疫不全症(SCID)-ligase IV	リガーゼIV遺伝子の変異	DSB修復の根本的欠陥
	SCID -Artemis	ARTEMIS遺伝子の変異	
	SCID -DNAPKcs	DNAPKcs遺伝子の変異	
	Cernunnos	Cernunnos遺伝子の変異	
相同組換え修復(HDR)の障害	ファンコニー貧血(FA)およびFA様疾患	FANCA遺伝子等の変異	放射線抵抗性DNA合成に欠陥
	RAD51類似体疾患	RAD51C遺伝子等の変異	
	ブルーム症候群	BLM遺伝子の変異	G2照射後に感受性が大きく上昇
放射線損傷の認識や伝達に関与する遺伝子の障害	毛細血管拡張性失調症(AT)	ATM遺伝子の変異	高い放射線感受性
	毛細血管拡張性失調症様障害	RASA1遺伝子の変異	
	ナイミーヘン症候群 (NBS)	NBS1遺伝子の変異	
	NBSlike disorder	RAD50遺伝子の変異	
	RIDDLE症候群	ERCC6L2遺伝子の変異	
姉妹染色分体結合の障害	コルネリア・デ・ランゲ症候群(CdLS)	NIPBL変異を有する	相同組換え修復に欠陥
	ロバート症候群	早発性染色分体分離	
	Warsaw breakage syndrome	DDX11遺伝子の変異	
放射線誘発がんの素因保持者	BRCA1/BRCA2遺伝子の保因者	BRCA1/BRCA2の遺伝子変異	乳癌および卵巣癌素因
	ウィルムス腫瘍	WT1 /WT2の遺伝子変異	
放射線誘発がんを発生させる遺伝性疾患	網膜芽細胞腫	RB1 遺伝子の変異	放射線誘発癌リスクの上昇
	LiFraumeni症候群(LFS)	TP53の生殖細胞系列変異	乳房、脳、副腎、造血組織等の発がん
	基底細胞母斑症候群(BCNS)	PTC腫瘍抑制遺伝子の変異	
	神経線維腫症1型(NF1)	NF1遺伝子の変異	放射線誘発癌リスクの上昇
胎児期に獲得された染色体異常	白血病の一部	白血病関連転座	低線量放射線でリスク上昇
動脈硬化患者	動脈硬化性疾患		低線量率被ばくで放射線感受性が増加
自己免疫疾患 患者	関節リウマチ、全身性エリテマトーデス(SLE)、多発性筋炎など		放射線感受性が高い

Human Radiosensitivity, Report of the independent Advisory Group on Ionising Radiation, © Health Protection Agency 2013より引用[17]

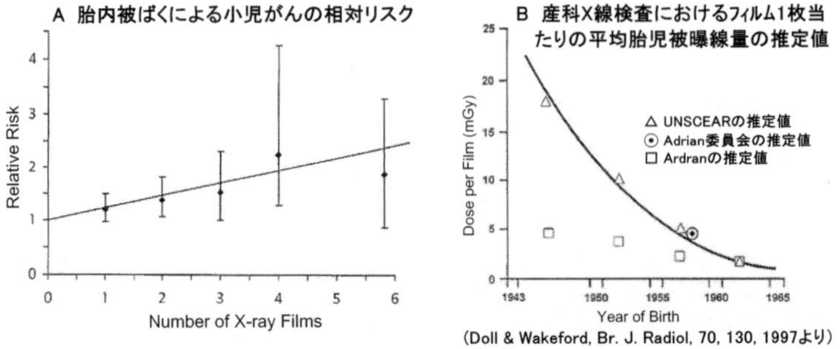

(Doll & Wakeford, Br. J. Radiol, 70, 130, 1997より)

図５　胎内被ばくによる小児がん発生の相対リスク
病院記録に基づく妊娠第３期のX線検査でデータは1953-1972年の死亡に関するもの
フィルム１枚当たりの過剰相対リスクは0.194（95% CI:0.134-0.280）であった。

究である。図５Aのグラフのように妊娠中の骨盤のレントゲンのフィルム枚数と小児の発癌リスクには有意な比例関係が認められている。また、図５Bのグラフは年数とともにフィルム１枚当たりの胎児被ばく線量が減少していっていることを示しており、1950年代後半には５mGyを切り、1965年ころには１mGyくらいまで減少しているががんは発生している[18]。

②小児期のCT検査による被ばく

小児のCT検査で発がんリスクの上昇が見られたという報告が多くみられている。英国の調査では、CTの回数に応じて白血病や脳腫瘍が有意に増加している（図６）[19]。オーストラリアではCT検査の回数に応じて全がんリスクの上昇が見られている。

小児期CT検査後に発生したがんの研究では、交絡因子としてがんの素因を持っていたためにがんが発生したと言われているが、それを考慮しても有意差が見られている。ただ、例えがんの素因があったとしても、それは（放射線に弱い）個人差として扱われるべきものであると考える。

③　小児期の頸部への被ばく

図７はLubinらの研究報告で、小児期外部低線量被ばくによる甲状

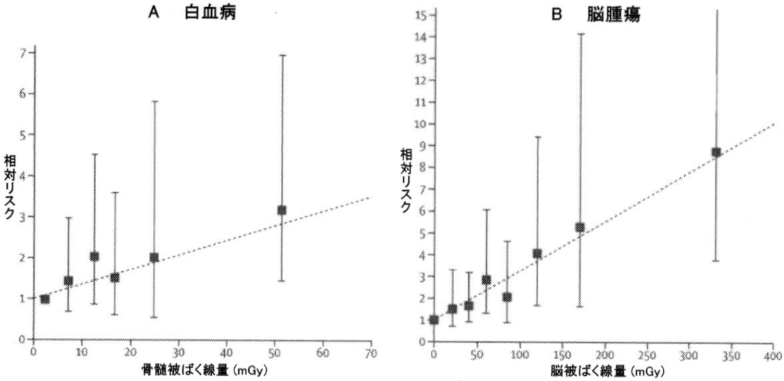

(MS Pearce, et al, Lancet online June 7, 2012より引用)

図６　小児期のCT検査で白血病、脳腫瘍リスク上昇
英国でCT検査を受けた22歳未満の約18万人を調査。(A) 平均骨髄被ばく線量50mGy (CT検査５～10回) で白血病リスクが約３倍に、(B) 平均脳被ばく線量60mGy (CT検査２～３回) で脳腫瘍リスクが約３倍になることを示している[19]。

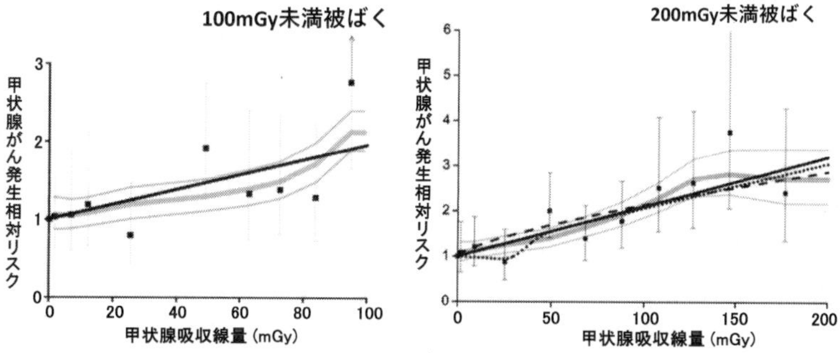

(J H Lubin et al. J Clin Endocrinol Metab. 102:2575-2583, 2017)

図７　小児期外部低線量被ばくによる甲状腺がんの相対リスク

腺がんの相対リスクを示している[20]。小児期に頚部に放射線を浴びた９件の疫学的コホートのプール解析で、左のグラフは、100mGyまでを右のグラフは、200mGyまでを表しているが、いずれも相対リスクは有意な線量応答を示し、推定しきい値は０～30mGyの範囲としている。そして、「線量反応増加傾向は、被ばく後45年間持続し、被ばく時年齢が若いほど大きかった」と述べている。

表5は、平均5mGy前後や最大30mGy以下でもがんが発生していることを示している。日本小児科学会や学術会議は、小児のCT検査を可能な限り避けるように警告している。

ところで、子どもの成長を健やかに見守っているはずの文部科学省が、小学生のための放射線副読本を出版している[22]。このなかで、「100mSv以上の放射線を人体が受けた場合には、がんになるリスクが上昇するということが科学的にわかっています。しかし、その程度について、国立研究センターの公表している資料によれば、100～200mSvの放射線を受けたときのがん（固形がん）のリスクは1.08倍であり、これは1日に110gしか野菜を食べなかったときのリスク（1.06倍）や塩分の高い食品を食べ続けたときのリスク（1.11～1.15倍）と同じ程度となっています」と、まるで、「200mSvまで大丈夫」と思わせる表現であり、子どもに「放射線は安全である」ことを刷り込ませるサブリミナル効果を狙っているような暴挙で許されるものではない。

また、日本政府は、「避難すべき基準」は、20mSv/年以上としたままだが、チェルノブイリでは、5mSv/年以上は「義務的移住ゾーン」、1mSv/年以上は、「移住の権利」としており、放射線副読本と避難すべき基準はこの冊子を読んで早急に改めてほしい。

④　チェルノ原発事故後に発生した甲状腺がんは低線量被ばくでも発生している

図8Aのグラフは、ウクライナの手術時14歳以下の小児甲状腺がん345名の甲状腺の吸収線量の分布を示している。100mGy未満が51.3%を占め、10mGy未満でも15.7%の甲状腺がんが発生している[23]。図8Bのグラフは、ベラルーシとロシア連邦の18歳以下の甲状腺がん症例298人の線量分布で、100mGy未満で32.6%、10mGy未満でも7.0%甲状腺がんが発生している[24]。

表5　医療診断用放射線被曝に関する調査における
胎児期および小児期被ばくのリスク

	報　告	平均線量（mGy）	最大線量（mGy）	研究内容等	腫瘍の種類	ERR / Gy（95% CI）
胎内被ばく	（Bithell and Stiller 1988）	NA	30未満	OSCC症例1953-1972年生まれの症例対照ペアを用いて推定した。対数線形モデルとUNSCEARに基づく線量の対数線形モデル	全がん死亡率	20.8（0.27, 61.8）
	（Bithell and Stiller 1988）	NA	30未満	OSCC症例1953-1972年生まれの症例対照ペアを用いて推定した。対数線形モデルとUNSCEARに基づく線量の対数線形モデル	全がん死亡率	28.8（17.1, 43.6）
	（Bithell 1993）	NA	30未満	OSCC1953-1979年生まれの対照ペア	全がん死亡率	51（28, 76）
生後被ばく	（Ronckers et al. 2001）	4	30	オランダで鼻咽頭ラジウム照射を受けた子どもたち1945-1981年、追跡期間1982-1997年	リンパ増殖性および造血性悪性腫瘍死亡率	450（50, 1690）
	（Pearce et al. 2012）	44.63	330	UK-NCI小児CTコホート、初回CT年齢21歳未満、1985-2008年	脳腫瘍	23（10, 49）
	（Mathews et al. 2013）	5.9	NA	オーストラリアCT調査 1985年1月時点で0-19歳の者、またはそれ以降に生まれた者 1985-2007年	白血病＋MDS	39（14, 70）
	（Mathews et al. 2013）	48	NA	オーストラリアCT調査 1985年1月時点で0-19歳の者、またはそれ以降に生まれた者 1985-2007年	脳腫瘍	21（14, 29）
	（Krille et al. 2015）	34.4	NA	ドイツの乳児CT研究、1980-2010年、初回CT時年齢15歳未満	脳腫瘍	8（4, 13）
	（Lubin et al. 2017）	29.91	200	9つのプール解析	甲状腺がん	11.1（6.6, 19.7）
	（Lubin et al.2017）	17.3	100	9つのプール解析	甲状腺がん	9.6（3.7, 17.0）
	（Little et al. 2018）	19.6	100	100mGy未満の9コホートとLSS解析	AML+MDS	20.9（4.1, 49.2）
	（Nikkila et al. 2018）	6.29	33.2	フィンランドがん登録に基づく症例対照研究 1990-2011年	白血病＋MDS	130（20, 260）
	（Meulepas et al. 2018）	38.5	220	初回CT時の小児（18歳未満）を対象としたオランダのCT研究。初回CT:1979-2012年	脳腫瘍	8.6（2.0, 22.2）
	（Zidane et al. 2021）	1.98	194.2	フランスCATHY3施設症例対照研究。小児医療に焦点をあてた 2002-2006年	甲状腺がん	17（0.6, 35）

M.P. Little et al. Environ Internat 159（2022）106983より引用[21]

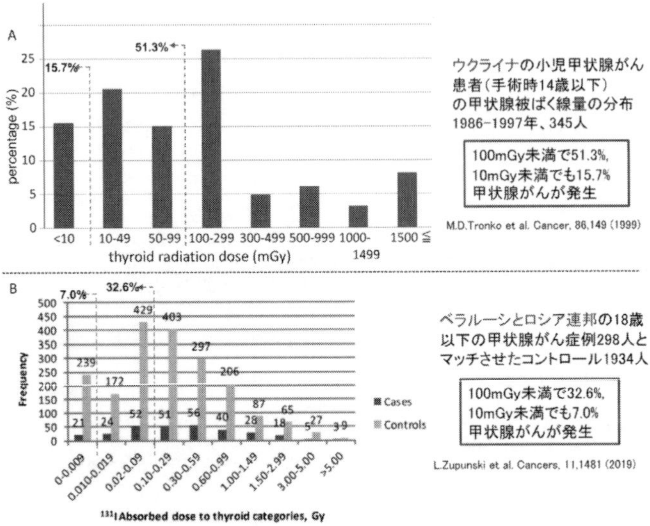

図８　低線量被ばくでも甲状腺がんが発生している報告例

1－3　低線量被ばくの影響に個人差があることを示す研究

広島大学の田代聡教授らのグループはヒトのリンパ球に放射線を照射して染色体異常を観察して、低線量被ばくの影響に個人差があることを証明している[25]。

DNAが放射線によって２本鎖切断を受けると染色体も切断されて異常が生じる。ここでは、染色体異常の中の二動原体染色体および環状染色体の1000細胞あたりの数が観察されている。図９Ａのグラフは、健康なボランティア５人から採血した末梢血リンパ球に400mGyまでγ線を当てた時の染色体異常の変化をみたもので、点線で囲っている低線量域では、バラツキが大きいことがわかる。図９ＢとＣのグラフはボランティアのリンパ球に15、40、80mGyの照射をそれぞれ３回ずつ行った結果で、図９Ｂのグラフのボランティアａ、Ｂように、線量の増加とともに直線的に染色体異常が増加するグループと図９Ｃのグラフのボランティアｃ、Ｄ、Ｅのグラフのように増加がはっきり

図9A

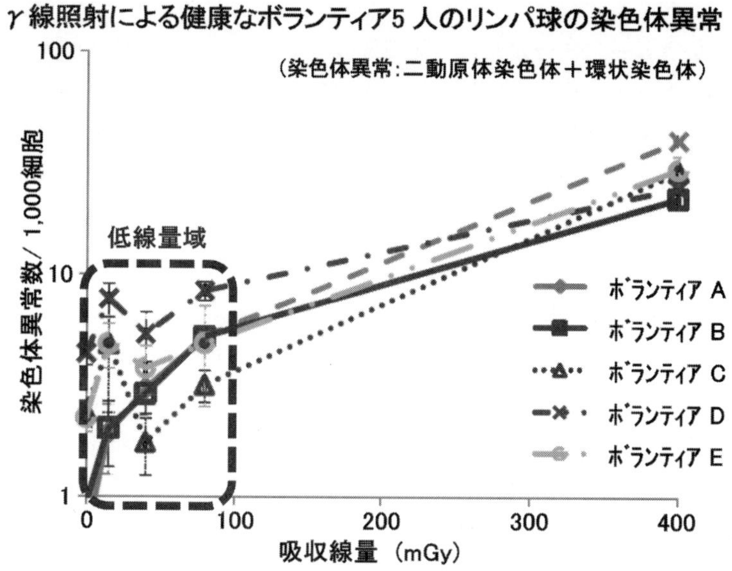

(Shi L, Tashiro S, et al. Radiat Res. 2018;190:424-432. Supplementary informationより引用)

低線量域を拡大すると
染色体異常の増加が明瞭/不明瞭なグループが存在

図9B

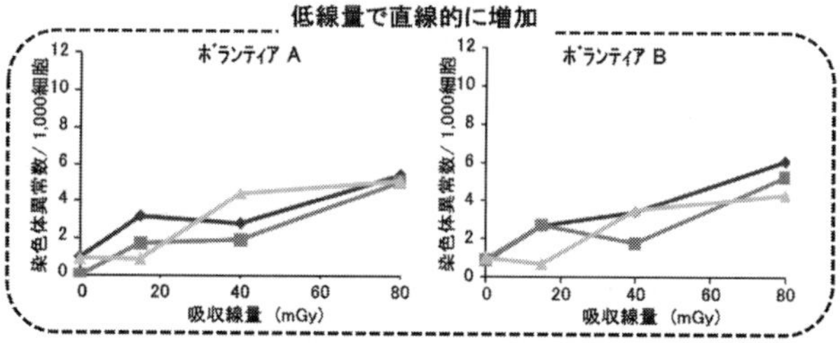

図9C

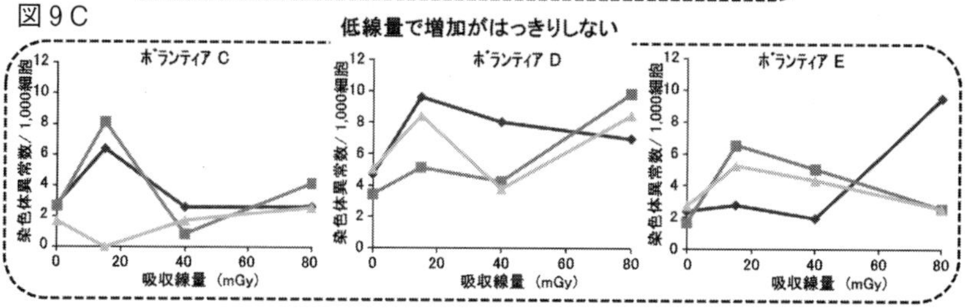

図9　低線量被ばくでも、放射線の影響を受けやすいグループが存在する

しないグループに分かれる。低線量被ばくでは単にばらつきが大きいということではなく、はっきり個人差があることが示されている。すなわち、低線量被ばくの場合、５人のグラフを１つにすると統計的有意差はなくなるが、図９Bのグラフのように影響を受けやすいグループが明らかに存在することがこの研究で証明されている。

1－4　「統計的に有意でない」の解釈の間違いについて

前述の1－3では、リンパ球の染色体異常が100mGy以下で５名をひとまとめで見ると統計的有意差は見られない（図９A）が、直線的に増加するグループ（図９B）と増加がはっきりしないグループ（図９C）が存在することが確認された。一般には、低線量域においては有意差が見られないことが多いので、統計的解釈に関して非常に重要なポイントである。

アメリカ統計学会（ASA）は2016年に、「科学的な主張や結論を正当化するために、データ解析や科学的推論を機械的な有意差のみで判断するやり方は、誤った思いこみと貧弱な意思決定につながりかねない」という声明を発し、「P値が小さいからといって、必ずしも大きな、より重大な効果があることを意味しないし、P値が大きくても、重要ではないこと、あるいは効果がないことを意味しない。どんなに小さい効果でも、サンプルサイズが大きかったり測定精度が十分高ければ小さいP値となりうるし、大きな効果であっても、サンプルサイズが小さかったり測定精度が低ければ、大きなP値となることもある。同様に、効果の推定値が同じ値であったとしても、推定値の精度が異なれば、異なったP値となる」と述べている[26]。統計的有意差の概念のみで科学的結論を下してはならないということは、今や統計学者の国際的なコンセンサスになっている。

前述1－1で、胎児や小児では10mSv程度の低線量でもがんが発生する報告例を示したが、未だに、100mSv以下で統計的は有意差がなくなることを強調している内容をよく見かける。すなわち、100mSv以下で統計的は有意差がなくなることを持って、「100mSv以下でがんは発生しない」は誤りで、「100mSv以下でがんが発生するかどうか明らかでない」が正しい解釈である。ちなみに、放射線医学研究所の放射線被ばくの早見図では、「100mSv以上で、がん死亡のリスクが線量とともに徐々に増えることが明らかになっている」と記載されている。これは、明らかに、100mSv未満（低線量被ばく）は安全であると思わせる表現である。

2．内部被ばくは組織均一ではない

図10のように外部被ばくは、γ線の外部被ばくによる線量はほぼ均一で事象はランダムに発生する。一方、内部被ばくは、放射性粒子の近くでは線量が高く、放出された電子による事象が集中するため、1つの細胞核で複数の事象が発生し、深刻な損傷を引き起こす可能性がある。すなわち、内部被ばくの場合、見かけは低線量でも中心部は高線量で重篤な障害を起こす可能性がある[27]。

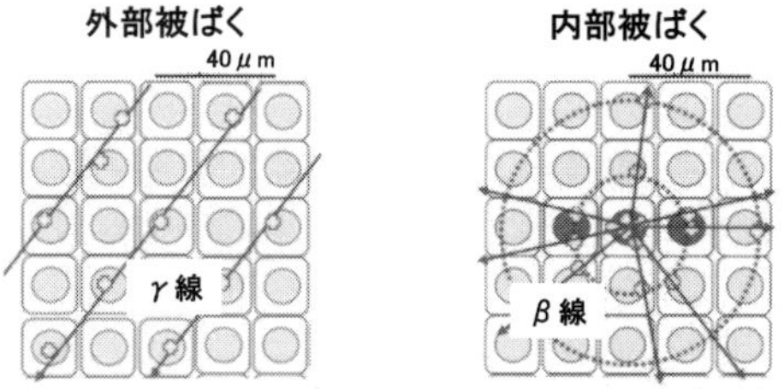

(K.Shichijo et al. Biomed., 8, 171 (2020))

図10　外部被ばくと内部被ばくの概念図

七條らの実験では、短半減期の^{56}Mnをラットに吸入させて、ラットの肺組織の影響を観察している（図11）[27]。

図11Aのグラフは、ラットに^{56}Mnによる吸入を1回行ってから、6時間から8か月までの時間経過と肺の組織の障害度、このグラフでは^{56}Mnでは、スコア化した炎症の度合いがずっと持続して起こっていることを示している。一方2Gyのγ線を外部被ばくさせた場合はほとんど炎症が起こってないことがわかる。肺の炎症のほか、出血の度

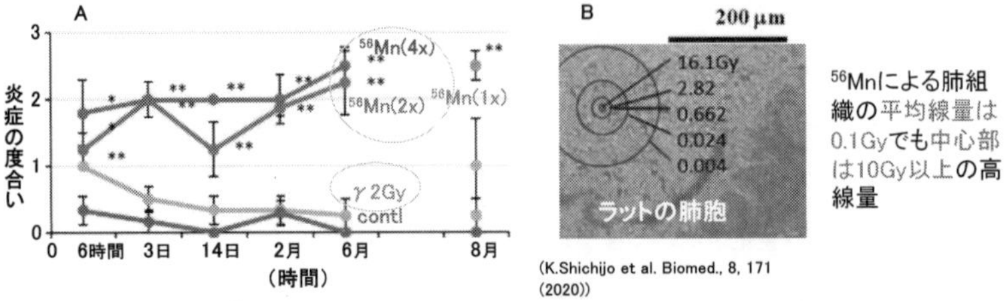

(K.Shichijo et al. Biomed., 8, 171 (2020))

図11　短半減期放射性マンガン（^{56}Mn半減期：2.58h）を吸入したラットの肺組織の影響

合いや肺気腫の程度も観察しているが、^{56}Mnでは炎症と同様な経過が見られている。図11Bはラットの肺組織の一部の顕微鏡像で、^{56}Mnによる肺組織の平均線量は0.1Gyでも中心部は10Gy以上の高線量になっていることを示している。

この実験結果から、短半減期放射性核種の内部被ばくは、組織に非常に大きな障害を与え、初期の影響が長期間持続する可能性が示唆される。そして、この実験から、短半減期放射性ヨウ素等においても^{56}Mnと同様に、高線量・高線量率に作用した甲状腺組織に持続的な炎症や組織破壊が進行する可能性が予想される。

3．複合影響　放射線と他の物質との複合的な曝露の結果として評価されるべき

島田らは、放射線による発がんリスクは、他の物質との複合的な曝露の結果として評価されるべきであるとしており、その例として、鉱山労働者における喫煙者の肺がん絶対リスクは非喫煙者の約３倍になることを挙げている[28,29]。

図12は、大阪大学の野村らの実験で、胎児期X線を浴びると生後有害物質によりがんが発生するという複合影響を証明したものである[30]。母親マウスの妊娠時期にX線による低線量率照射を行うと、生まれてきた子どもたちに線量に比例して突然変異が起きている。その子ども

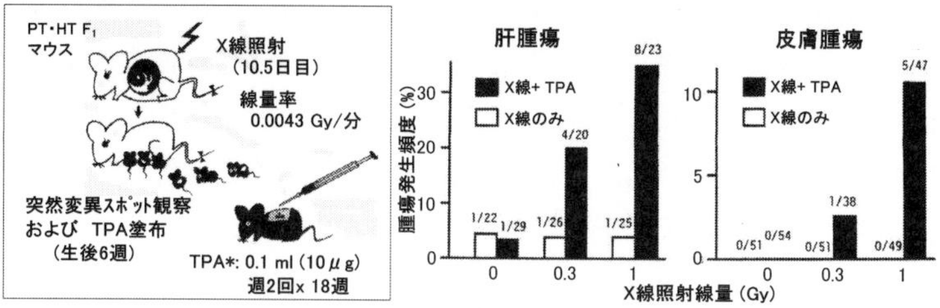

(Nomura T, Hongyo T, et al. Cancer Res, 50: 2135-2138, 1990)

図12　胎児期X線を浴びると生後有害物質によりがんが発生

たちに、一定間隔で、TPAというがん促進物質を塗り続けると、図のグラフのように、胎児期の放射線だけでは腫瘍はほとんど生じないが、TPAというがん促進物質を塗った方は被ばく量に応じて肝腫瘍や皮膚腫瘍が発生している。これは、放射線により誘発された胎児細胞の前腫瘍性病変が突然変異と同じく受け継がれ、生後に与えられたTPAにより腫瘍化したものと考えられる。すなわち、一度、少量の放射線を浴びた後、さらに様々な有害物質（たばこ、アルコール、放射性物質など）に曝されることにより、がんになりやすくなる可能性があること、すなわち複合影響を示している。福島においては、原発事故による環境被ばくが持続しているので、それに加えて、タバコ、アルコール、化学物質などの有害物質や医療被ばくによる複合影響を考慮する必要がある。

4．福島で多発している甲状腺がんについて

2023年12月、第66回日本甲状腺がん学会で鈴木眞一教授が福島の甲状腺がんの手術結果について報告している[31]。症例は2021年までの217例で観察期間は１年から９年８ヵ月の中で、再発が21例（9.7%）あり、内訳は、対側葉の再発が７例、肺転移が４例、外側のリンパ節転移が11例で、全摘患者の再発率は12.5%、片葉切除をした患者の再発率は9.5%となっている。また、鈴木氏は、「全体のうち、29%が１cm以下

だが、微小がんで再発した例もあり、再発例では、皮膜外浸潤を来している割合が有意に多い」と指摘し、「リンパ節転移も再発例では86%にのぼり、特に外側部のリンパ節転移が有意に多い」と述べている。

UNSCEAR報告書の結論には「福島の被ばく推定値は非常に低いので、甲状腺がんの原因は過剰診断のためだろう」というくだりが見られるが、過剰診断とは、放置していても生命に影響しないものを診断して治療することだが、再発率が約10%は、非常に高く、福島で多発している甲状腺がんは、潜在がんと言われるような決しておとなしいがんではないことは明らかである。

そして、そもそもUNSCEAR報告書が過剰診断論の大前提としている「福島の被ばく推定値は非常に低い」が大きな間違いであるため過剰診断論は成り立たないし、その証拠も全く示されていない。過剰診断論に関しては、国際がん機関IARC技術報告書No.46（2018）で何の根拠も示さずに過剰診断論を吹聴したことで混乱を招いたとしてその報告書の撤回要求が出されている[32、33]。

おわりに

福島原発事故による放射線影響は、すべて低線量被ばくという土俵の上で議論されてきた。しかし、その被ばく量は、ほとんどUN-SCEARの推定値と1,080名の実測値のみに基づいており、それらが大きな過小評価から成り立っているので、すべての被ばくが低線量という土俵は撤廃して、被ばく量は、根本から見直す必要がある。

また、例え低線量被ばくであっても、遺伝子や年齢の個人差、内部被ばくの特性、複合影響等を考慮すると、「福島で多発している甲状腺がんが被ばくの影響とは考えにくい」とは絶対言えないことは誰でもわかるはずである。UNSCEAR 2020/2021報告書の結論にもみられる、「被ばく推定値は極めて低いので、発生している甲状腺がんの原因は、過剰診断のためであろう」も絶対言えないことである。

そもそも、UNSCEAR報告書の過小評価の原因は甲状腺係数や屋内退避効果を1／2に、不確実性が非常に高い吸入被ばく量を不自然に大幅に下げ、経口摂取の被ばくをほぼ無しにしたことによるところが大きい。正確な被ばく量が不明な場合に最も知りたいのは、最大でどれくらいの被ばく量が推定されるかであるが、報告書は平均値のみの提示で、最大値は全く提示されていない。しかも、10万人以上の避難者に対して、わずか40通りの被ばく平均推定値（40シナリオ）しか示されていない。ただ、報告書の補足資料には、平均値や中央値が低くても、最大値は中央値の100倍の例も示されており、著しい過小評価のなかでも、低線量被ばくだけではなかったことが読み取ることができる。

また、「福島の被ばく量はチェルノブイリと比べてけた違いに低い」とする判断の基になっている1,080名の小児甲状腺直接計測は、計測地点や計測方法に問題が多く、避難者の実際の被ばく量から大きくかけ離れた不適切なものであり、これを利用（あるいはこれに依拠）している各種委員会や裁判の意見書等は即刻改めるべきである。

ところで、いまだに放医研の「放射線被ばくの早見図」で代表されるように100mSv以下は安全と思わせる表現がしばしば見受けられるが、小児の医療被ばくやチェルノブイリでは20mGy以下でもがんの発生が認められており、例え低線量被ばくであっても、放射線感受性に対する個人差や内部被ばくの特性等を考慮すると、“安全な被ばく量は存在しない”と考えるべきである。ましてや、200mSvをも容認するような表現をしている、こどもを守るべき文科省の「小学生のための放射線副読本」関係者は、猛省し、即刻改めるべきである。

一度被ばくすると甲状腺がんのリスクは45年間にもわたって持続することが報告されている[20]。たかだか、事故後13年位しかたってない段階で、いいかげんな推定値や実測値が低いからといって、多発している甲状腺がんについて、「被ばくの影響は考えにくい」とか「過剰診断のせいだ」などと軽々しく言うべきではない。

UNSCEAR 2020/2021報告書の甲状腺被ばく線量推定値は、甲状腺がん原因説に直結する最も重要な問題であるため、誰もがその報告書の多すぎる問題点を直視すべきである。そして、UNSCEA報告書の被ばく線量推定値に頼っている限り、福島第一原発事故の経験を放射線防護の改善に生かすことは困難であることを認識すべきである。そして、（御用学者によらない）科学的な議論による最善の改善策が早急に必要である。

最後に、世界のどこかで同じような事故が起こった時、国は胸を張ってリーダーシップをとれるのだろうか。それとも、そっと巧妙な過小評価法を伝授するのだろうか。

参考文献

1．本行忠志「UNSCEAR報告書の問題点」福島原発事故による甲状腺被ばくの真相を明らかにする会『チェルノブイリ並み被ばくで多発する福島甲状腺がん』耕文社pp17-48, 2023.

2．高橋博子「UNSCEARの源流：米ソ冷戦と米原子力委員会」『科学』Vol.88 No.9 2018年９月号

3．Kate Brown. Manual for Survival: A Chernobyl Guide to the Future. W.W. Norton and Company, 2019. pp220-221.

4. Iodine global network. Global scorecard of iodine nutrition in 2019 in the general population based on school-age children（SAC）. https://www.ign.org/cm_data/Global_Scorecard_2019_SAC.pdf

5. Hirouchi J, Takahara S, Komagamine H et al. Investigation of reduction factor of internal exposure for sheltering in Japan. ASRAM2018. Asian Symposium on Risk Assessment and Management, Xiamen, China, 2018.

6. 山澤弘実「屋内退避に期待する効果とそのための要件」第６回新潟県原子力災害時の避難方法に関する検証委員会 2019年６月

7. 原子力規制委員会放射線防護グループ「屋内退避による被ばく低減効果に係る委託研究の成果概要報告」2021年９月 https://www.da.nsr.go.jp/file/

NR000202889/000364551.pdf

8. Kato T, Yamada K, Hongyo T. Area Dose-Response and Radiation Origin of Childhood Thyroid Cancer in Fukushima Based on Thyroid Dose in UNSCEAR 2020/2021: High ^{131}I Exposure Comparable to Chernobyl. Cancers (Basel), 2023; 15(18): 4583
9. Hongyo T. More than 100 problems can be found in the UNSCEAR 2020/2021 report used to estimate exposure to the Fukushima nuclear accident. 第66回日本放射線影響学会 2023年11月　東京
10. 榊原崇仁『福島が沈黙した日』集英社新書 2020年 p141
11. 今中哲二、遠藤暁、菅井益郎ほか「福島原発事故にともなう飯舘村の放射能汚染調査報告」『科学』81: pp594-600, 岩波書店 2011.
12. 朝日新聞デジタル 2011年9月6日 https://www.asahi.com/special/10005/TKY201109050407.html
13. ECRR（欧州放射線リスク委員会）2010勧告　https://www.jca.apc.org/mihama/ecrr/ecrr2010_dl.htm
14. 第2回被ばく医療分科会ヨウ素剤検討会速記録 2001.9.7 https://warp.da.ndl.go.jp/info:ndljp/pid/9483636/www.nsr.go.jp/archive/nsc/senmon/soki/youso/youso_so02.htm
15. Rothkamm K and Löbrich M. Evidence for a lack of DNA double-strand break repair in human cells exposed to very low x-ray doses. PNAS, 2003: 100, 5057-5062.
16. Pijpe A, Andrieu N, Easton D, et al. Exposure to diagnostic radiation and risk of breast cancer among carriers of BRCA 1/2 mutations: retrospective cohort study (GENE-RAD-RISK). BMJ, 2012; 345: e5660.
17. Human Radiosensitivity, Report of the independent Advisory Group on Ionising Radiation, Health Protection Agency 2013.
18. R Doll and R Wakefor. Risk of childhood cancer from fetal irradiation. Br J Radiol, 1997: 70: 130-139
19. Pearce MS, Salotti JA, Little MP, et al. Radiation exposure from CT scans in childhood and subsequent risk of leukaemia and brain tumours: a retrospective cohort study. Lancet, 2012; 380: 499-505.
20. Lubin JH, Adams MJ, Shore R, et al. Thyroid Cancer Following Childhood Low-Dose Radiation Exposure: A Pooled Analysis of Nine Cohorts. J Clin Endocrinol. Metab, 2017; 102: 2575-2583.

21. Little MP, Wakeford R, Bouffler SD, et al. Review of the risk of cancer following low and moderate doses of sparsely ionising radiation received in early life in groups with individually estimated doses. Environ Internat, 159 (2022)

22. 「小学生のための放射線副読本」文部科学省
20220810-mxt_kyoiku01-20220808171843_1.pdf (mext.go.jp)

23. Tronko MD, Bogdanova TI, Komissarenko IV, et al. Thyroid carcinoma in children and adolescents in Ukraine after the Chernobyl nuclear accident: statistical data and clinicomorphologic characteristics. Cancer, 1999; 86: 149-156.

24. Zupunski L, Ostroumova E, Drozdovitch V, et al. Thyroid Cancer after Exposure to Radioiodine in Childhood and Adolescence: ^{131}I- Risk and the Role of Selected Host and Environmental Factors. Cancers(Basel). 2019; 11(10): 1481.

25. Shi L, Fujioka K, Tashiro S, et al. Chromosomal Abnormalities in Human Lymphocytes after Computed Tomography Scan Procedure. Radiat Res, 2018; 190: 424-432. Supplementary information in S-10 Chromosomal Abnormalities in Human Lymphocytes after CT.

26. Ronald L. Wasserstein and Nicole A. Lazar. The ASA's Statement on p-Values: Context, Process, and Purpose. THE AMERICAN STATISTICIAN 2016, 70, 129-133.
https://www.tandfonline.com/doi/full/10.1080/00031305.2016.1154108

27. Shichijo K, Takatsuji T, Abishev Z, et al. Impact of Local High Doses of Radiation by Neutron Activated Mn Dioxide Powder in Rat Lungs: Protracted Pathologic Damage Initiated by Internal Exposure. Biomedicines, 2020, 8, 171.

28. Shimada Y, Nishiura M, Kakinuma S, et al. Combined Effect of Ionizing Radiation and Alkylating Agents on Cancer Induction, Genes and Environment, 29, 29-37(2007)

29. Lubin JH, Boice JD Jr, Edling C, et al. Lung cancer in radon-exposed miners and estimation of risk from indoor exposure. J Natl Cancer Inst. 1995; 87: 817-27.

30. Nomura T, Nakajima H, Hongyo T, et al. Embryonic mutation as a possible cause of in utero carcinogenesis in mice revealed by postnatal treatment with 12-O-tetradecanoylphorbol-13-acetate. Cancer Res, 50: 2135-2138, 1990.

31. OurPlanet-TV「福島の小児甲状腺がん再発1割～鈴木教授が学会発表」 https://www.ourplanet-tv.org/47990/
32. Tsuda T, Miyano Y, Yamamoyo E. conclusions and policies: a commentary regarding Schüz et al.' s response. Environmental Health (2023) 22:62 https://doi.org/10.1186/s12940-023-01013-7
33. Soskolne C. Exposing additional authors who suppress evidence about radiation-induced thyroid cancer in children: a Comment adding to Tsuda et al.' s response to Schüz et al. (2023). Environ Health (2023) 22: 79 https://doi.org/10.1186/s12940-023-01033-3

2　みんなで知ろう　簡単解説「福島甲状腺がんは原発事故による被ばくが原因」

加藤聡子

元短期大学教授　京都大学理学部化学科・理学研究科　理学博士

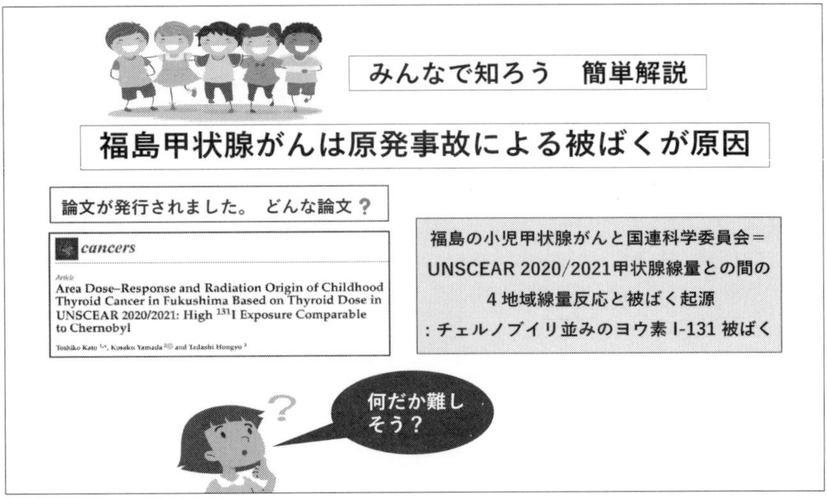

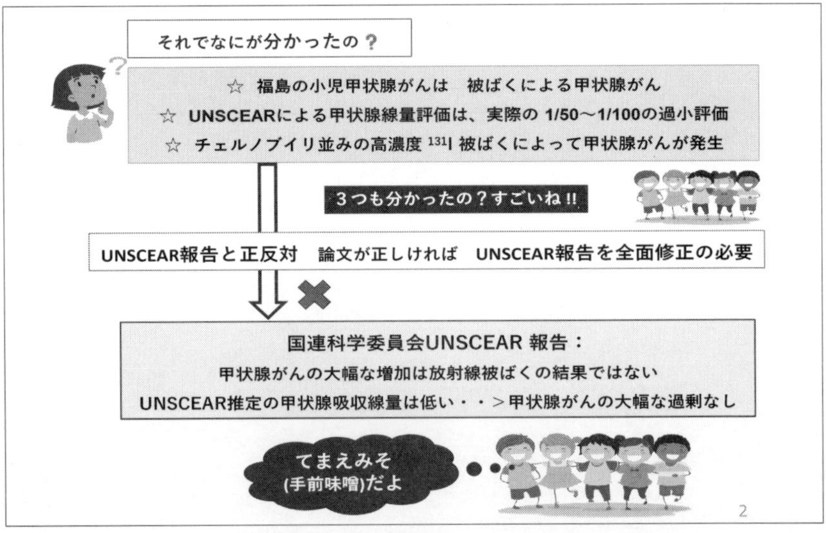

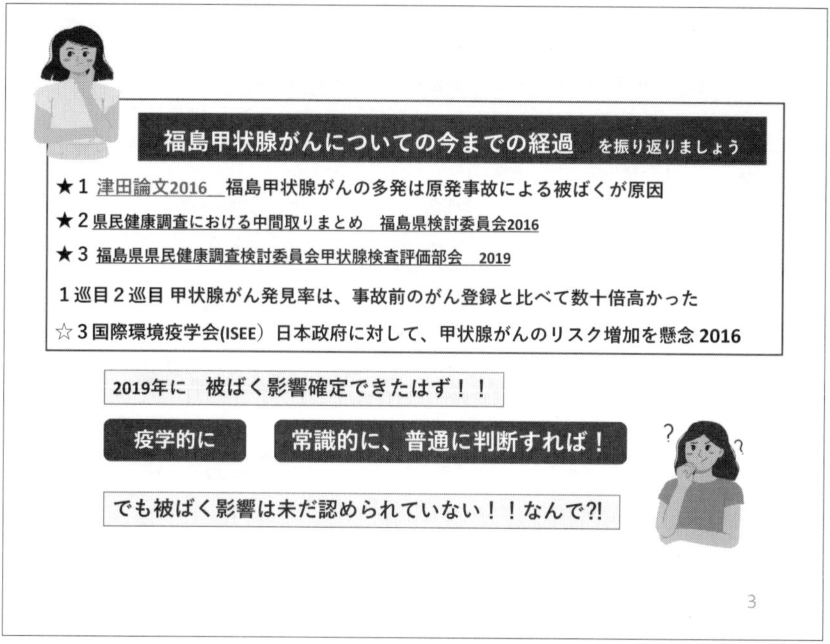
福島甲状腺がんについての今までの経過　を振り返りましょう
★1 津田論文2016　福島甲状腺がんの多発は原発事故による被ばくが原因
★2 県民健康調査における中間取りまとめ　福島県検討委員会2016
★3 福島県県民健康調査検討委員会甲状腺検査評価部会　2019
1巡目2巡目 甲状腺がん発見率は、事故前のがん登録と比べて数十倍高かった
☆3 国際環境疫学会(ISEE) 日本政府に対して、甲状腺がんのリスク増加を懸念 2016
2019年に　被ばく影響確定できたはず！！
疫学的に
常識的に、普通に判断すれば！
でも被ばく影響は未だ認められていない！！なんで?!
3

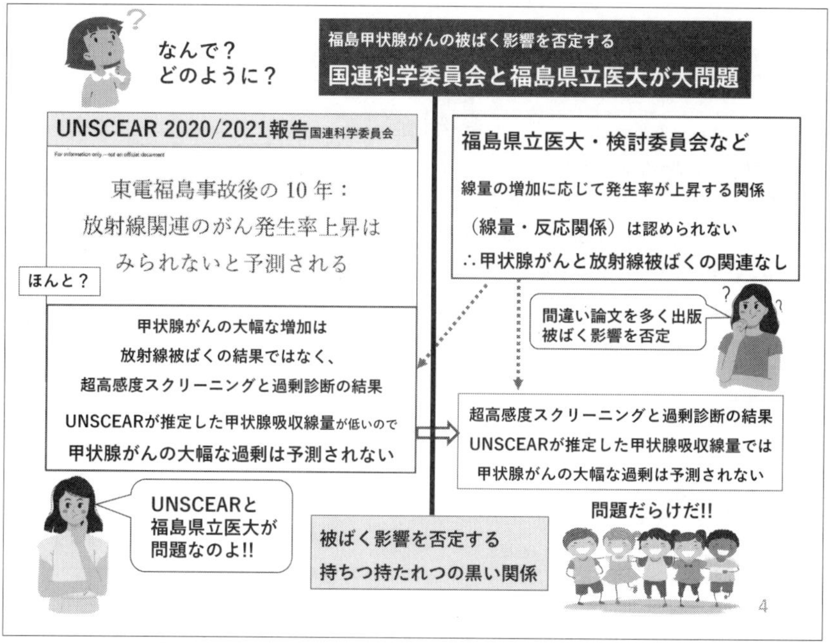
なんで？
どのように？
福島甲状腺がんの被ばく影響を否定する
国連科学委員会と福島県立医大が大問題
UNSCEAR 2020/2021報告 国連科学委員会
For information only – not an official document
東電福島事故後の10年：
放射線関連のがん発生率上昇は
みられないと予測される
ほんと？
甲状腺がんの大幅な増加は
放射線被ばくの結果ではなく、
超高感度スクリーニングと過剰診断の結果
UNSCEARが推定した甲状腺吸収線量が低いので
甲状腺がんの大幅な過剰は予測されない
福島県立医大・検討委員会など
線量の増加に応じて発生率が上昇する関係
（線量・反応関係）は認められない
∴甲状腺がんと放射線被ばくの関連なし
間違い論文を多く出版
被ばく影響を否定
超高感度スクリーニングと過剰診断の結果
UNSCEARが推定した甲状腺吸収線量では
甲状腺がんの大幅な過剰は予測されない
UNSCEARと
福島県立医大が
問題なのよ!!
被ばく影響を否定する
持ちつ持たれつの黒い関係
問題だらけだ!!
4

1☆　福島の小児甲状腺がんは　被ばくによる甲状腺がん

県民健康調査FHMS 4 地域
1 避難地域
2中通り
3いわき相馬
4会津

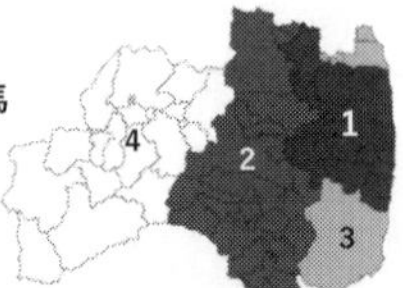

福島県Cs-134＋Cs-137の地表沈着密度(Bq/m2)

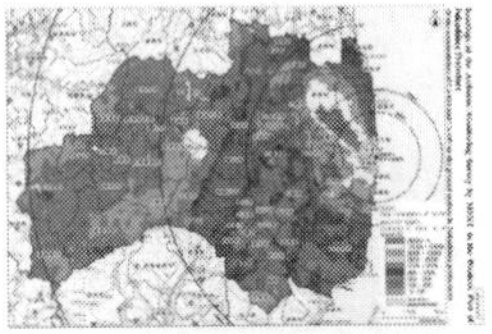

右図・放射性Cs沈着密度（∝空間線量）の順に、
左図・4地域１・２・３・４の順に汚染度が増えていない？ ⇦ **増えてるよ！**

ではこの4地域の小児甲状腺がん発生率（県立医大発表）と
UNSCEAR報告の4地域の甲状腺線量の関係を調べましょう ⇦ **はーい！**

甲状腺線量の単位 2つあるけれど大体同じ
甲状腺吸収線量グレイ：　1 Gy = 1000 mGy
甲状腺等価線量ｼｰﾍﾞﾙﾄ　≒1 Sv ＝ 1000 mSv

⇦ **単位は大体同じ 気にしないよ**

5

1巡目 (2011-2013)・２巡目 (2014-2015)　線量反応関係

ではいよいよ本題です
縦軸 y ：年間発生率/1万人
横軸 x ：UNSCEAR推定甲状腺線量
グラフに点を書くと1巡目◆・2巡目■とも、線量が増えると甲状腺がんは直線的に増える関係　y =ax +b
∴被ばくによる甲状腺がん

→ y =ax +b

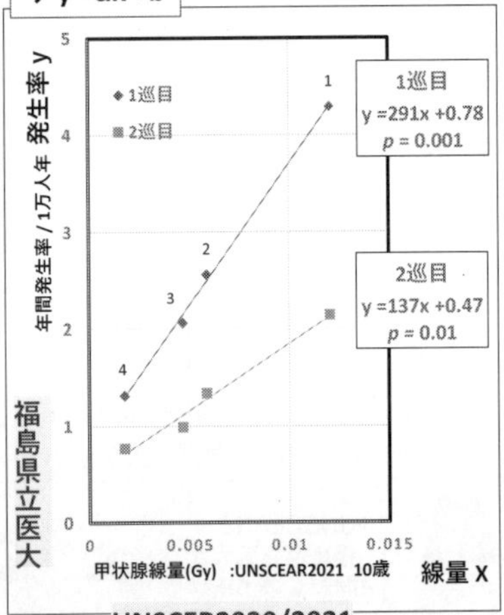

UNSCER2020/2021

中学生だね！
難しいけど分かった！

年間発生率　∝　甲状腺線量
有意な（線量・反応関係）がある
☆ 福島の小児甲状腺がんは1・2巡目とも
被ばく由来甲状腺がん

6

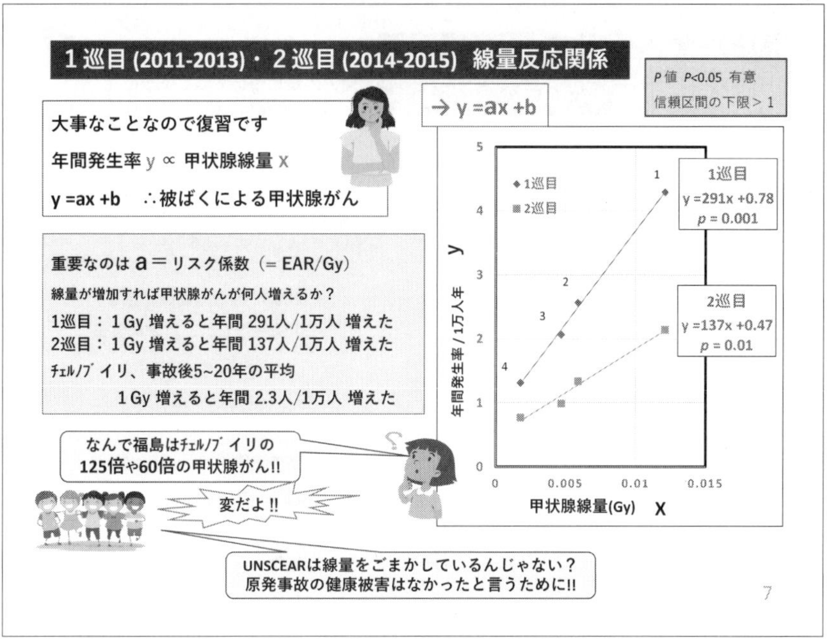
1巡目 (2011-2013)・2巡目 (2014-2015) 線量反応関係
P値 P<0.05 有意
信頼区間の下限＞1
→ y =ax +b
大事なことなので復習です
年間発生率 y ∝ 甲状腺線量 x
y =ax +b　∴被ばくによる甲状腺がん
重要なのは a ＝リスク係数（= EAR/Gy）
線量が増加すれば甲状腺がんが何人増えるか？
1巡目：1 Gy 増えると年間 291人/1万人 増えた
2巡目：1 Gy 増えると年間 137人/1万人 増えた
ﾁｪﾙﾉﾌﾞイリ、事故後5~20年の平均
1 Gy 増えると年間 2.3人/1万人 増えた
1巡目
2巡目
1巡目
y =291x +0.78
p = 0.001
2巡目
y =137x +0.47
p = 0.01
年間発生率 / 1万人年 y
甲状腺線量(Gy) X
なんで福島はﾁｪﾙﾉﾌﾞイリの
125倍や60倍の甲状腺がん!!
変だよ!!
UNSCEARは線量をごまかしているんじゃない？
原発事故の健康被害はなかったと言うために!!
7

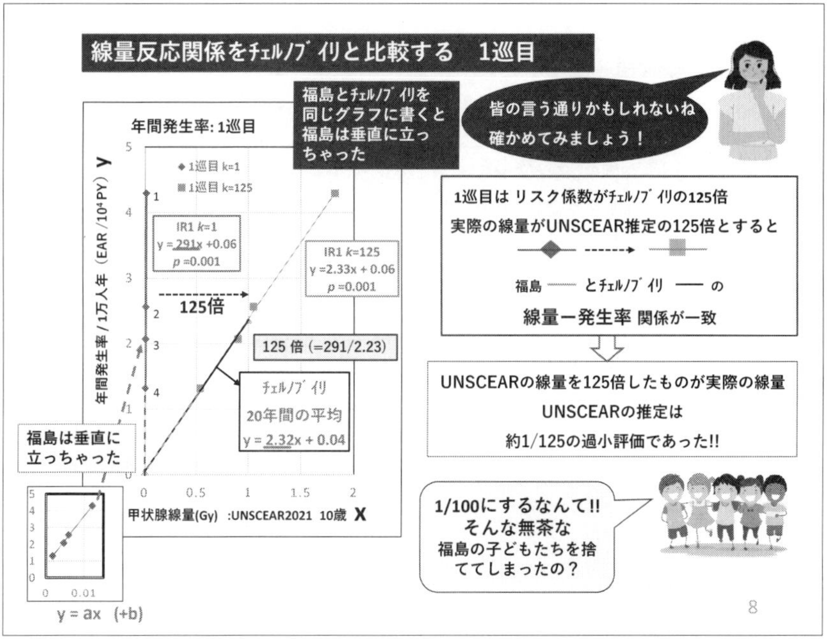
線量反応関係をﾁｪﾙﾉﾌﾞイリと比較する　1巡目
福島とﾁｪﾙﾉﾌﾞイリを
同じグラフに書くと
福島は垂直に立っ
ちゃった
皆の言う通りかもしれないね
確かめてみましょう！
年間発生率: 1巡目
1巡目 k=1
1巡目 k=125
IR1 k=1
y =291x +0.06
p =0.001
IR1 k=125
y =2.33x + 0.06
p =0.001
125倍
125 倍 (=291/2.23)
ﾁｪﾙﾉﾌﾞイリ
20年間の平均
y = 2.32x + 0.04
年間発生率 / 1万人年（EAR /10⁴PY） y
甲状腺線量(Gy) :UNSCEAR2021 10歳 X
福島は垂直に
立っちゃった
y = ax (+b)
1巡目は リスク係数がﾁｪﾙﾉﾌﾞイリの125倍
実際の線量がUNSCEAR推定の125倍とすると
福島 とﾁｪﾙﾉﾌﾞイリ の
線量ー発生率 関係が一致
UNSCEARの線量を125倍したものが実際の線量
UNSCEARの推定は
約1/125の過小評価であった!!
1/100にするなんて!!
そんな無茶な
福島の子どもたちを捨
ててしまったの？
8

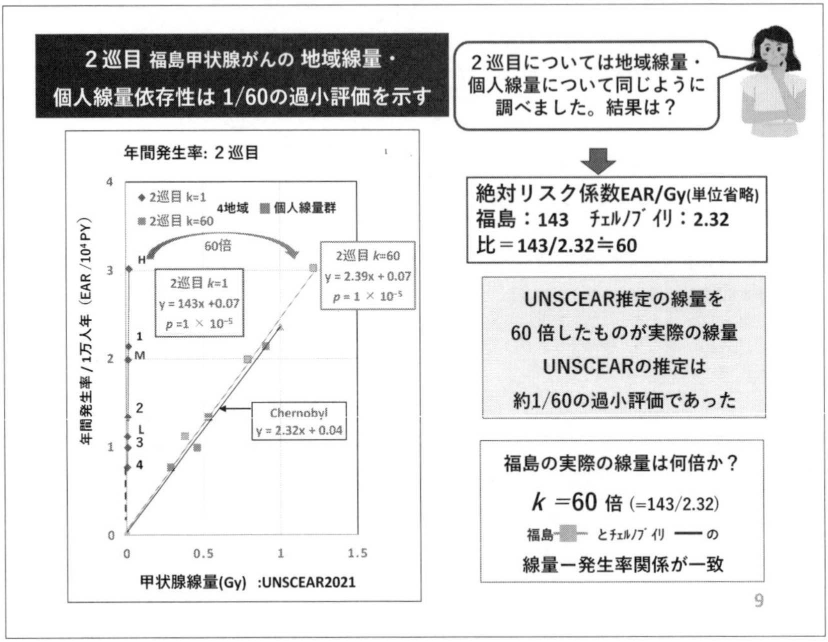

2巡目 福島甲状腺がんの 地域線量・
個人線量依存性は 1/60の過小評価を示す
2巡目については地域線量・
個人線量について同じように
調べました。結果は？
年間発生率: 2巡目
◆ 2巡目 k=1
■ 2巡目 k=60
4地域
■ 個人線量群
60倍
H
2巡目 k=1
y = 143x +0.07
p =1 × 10⁻⁵
2巡目 k=60
y = 2.39x + 0.07
p = 1 × 10⁻⁵
1
M
2
L
3
4
Chernobyl
y = 2.32x + 0.04
年間発生率 / 1万人年（EAR /10⁴ PY）
0
1
2
3
4
0
0.5
1
1.5
甲状腺線量(Gy) :UNSCEAR2021
絶対リスク係数EAR/Gy(単位省略)
福島：143　ﾁｪﾙﾉﾌﾞｲﾘ：2.32
比＝143/2.32≒60
UNSCEAR推定の線量を
60 倍したものが実際の線量
UNSCEARの推定は
約1/60の過小評価であった
福島の実際の線量は何倍か？
k ＝60 倍 (=143/2.32)
福島 とﾁｪﾙﾉﾌﾞｲﾘ の
線量ー発生率関係が一致
9

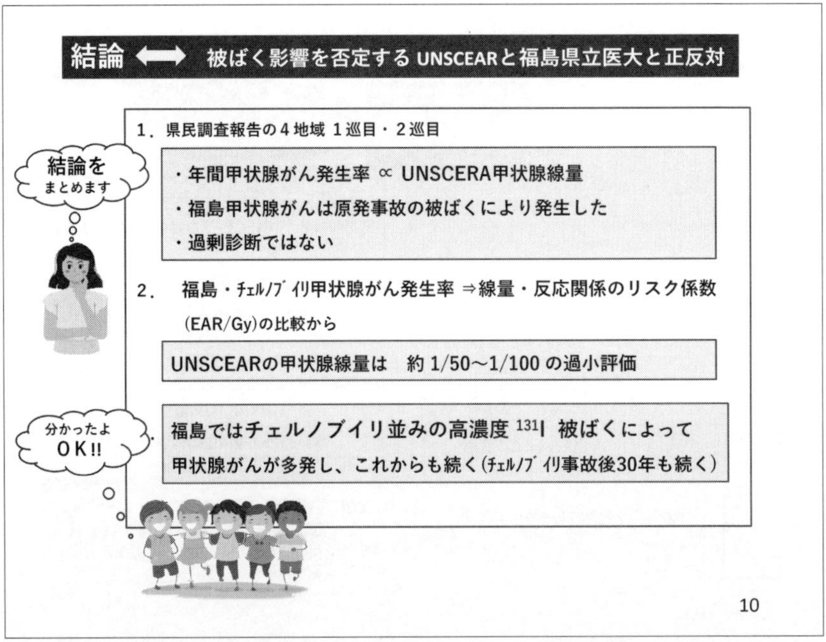

結論 ⟷ 被ばく影響を否定する UNSCEARと福島県立医大と正反対
1．県民調査報告の４地域 １巡目・２巡目
・年間甲状腺がん発生率 ∝ UNSCERA甲状腺線量
・福島甲状腺がんは原発事故の被ばくにより発生した
・過剰診断ではない
2． 福島・ﾁｪﾙﾉﾌﾞｲﾘ甲状腺がん発生率 ⇒線量・反応関係のリスク係数
(EAR/Gy)の比較から
UNSCEARの甲状腺線量は 約 1/50〜1/100 の過小評価
福島ではチェルノブイリ並みの高濃度 ¹³¹I 被ばくによって
甲状腺がんが多発し、これからも続く(ﾁｪﾙﾉﾌﾞｲﾘ事故後30年も続く)
結論を
まとめます
分かったよ
ＯＫ!!
10

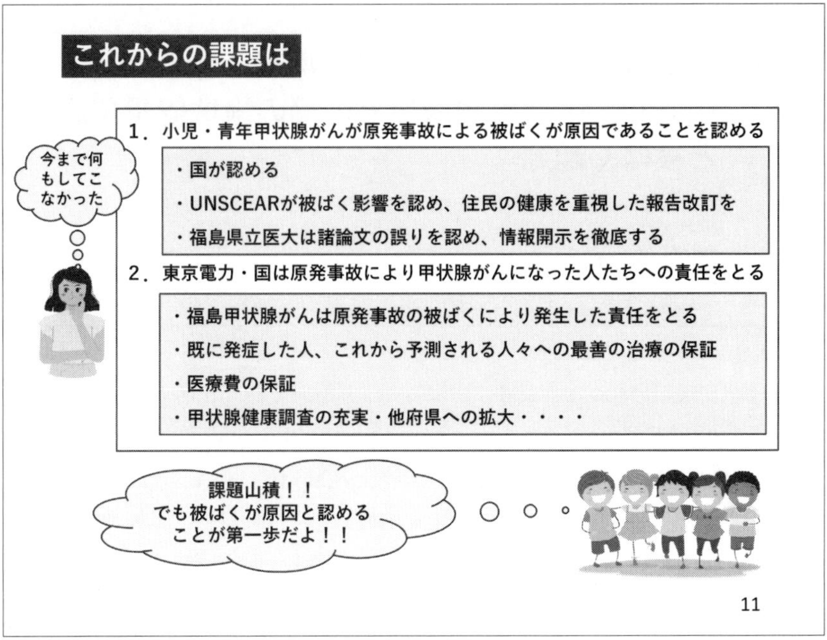
これからの課題は
1．小児・青年甲状腺がんが原発事故による被ばくが原因であることを認める
・国が認める
・UNSCEARが被ばく影響を認め、住民の健康を重視した報告改訂を
・福島県立医大は諸論文の誤りを認め、情報開示を徹底する
2．東京電力・国は原発事故により甲状腺がんになった人たちへの責任をとる
・福島甲状腺がんは原発事故の被ばくにより発生した責任をとる
・既に発症した人、これから予測される人々への最善の治療の保証
・医療費の保証
・甲状腺健康調査の充実・他府県への拡大・・・・
今まで何もしてこなかった
課題山積！！
でも被ばくが原因と認める
ことが第一歩だよ！！
11

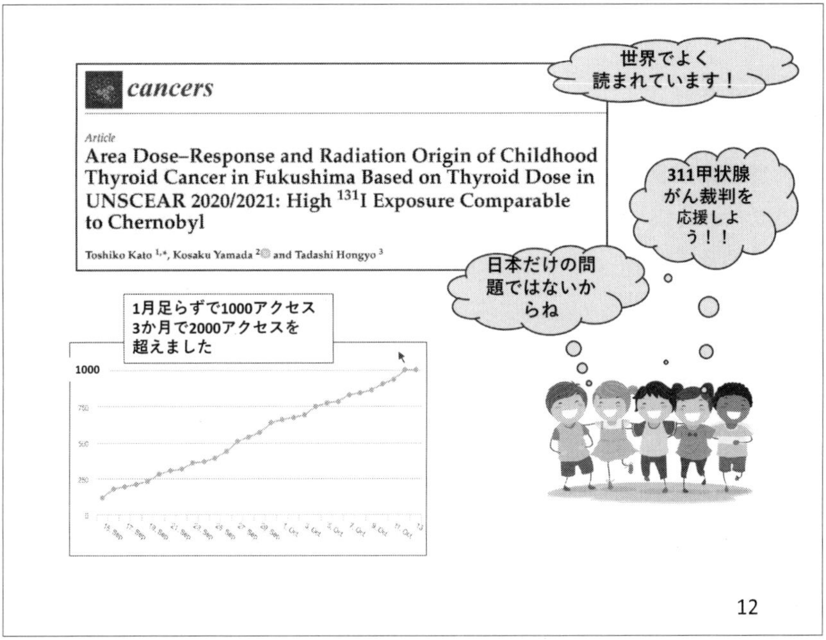
cancers
Article
Area Dose–Response and Radiation Origin of Childhood Thyroid Cancer in Fukushima Based on Thyroid Dose in UNSCEAR 2020/2021: High 131I Exposure Comparable to Chernobyl
Toshiko Kato 1,*, Kosaku Yamada 2 and Tadashi Hongyo 3
世界でよく
読まれています！
311甲状腺
がん裁判を
応援しよ
う！！
日本だけの問
題ではないか
らね
1月足らずで1000アクセス
3か月で2000アクセスを
超えました
1000
750
500
250
0
15. Sep
17. Sep
19. Sep
21. Sep
23. Sep
25. Sep
27. Sep
29. Sep
1. Oct
3. Oct
5. Oct
7. Oct
9. Oct
11. Oct
13
12

3　論文解説：福島の小児甲状腺がんとUNSCEAR甲状腺線量との間の地域線量反応と被ばく起源

加藤聡子

元短期大学教授　京都大学理学部化学科・理学研究科　理学博士

Area Dose-Response and Radiation Origin of Childhood Thyroid Cancer in Fukushima Based on Thyroid Dose in UNSCEAR 2020/2021: High I-131 Exposure Comparable to Chernobyl
(福島の小児甲状腺がんとUNSCEAR 2020/2021甲状腺線量との間の地域線量反応と被ばく起源：チェルノブイリ並みの高濃度I-131被ばく)
加藤聡子、山田耕作、本行忠志著　Cancers誌　2023年９月15日出版
https://www.mdpi.com/2072-6694/15/18/4583

簡単な要約

2011年３月11日に発生した福島原発事故により、福島県から委託されて福島県立医科大学（FMU、県立医大）が実施した福島県民健康調査（FHMS）の一環として、事故当時18歳以下の全住民を対象に甲状腺超音波検査（Thyroid Ultrasound Examination, TUE）が実施された。その結果、がん登録から予想される発生率の数十倍の過剰が発見された。350人以上の甲状腺がん患者の多くは、原発事故による健康への影響はないという公式見解があり、放射線の健康への影響について声を上げることが許されない中で、甲状腺がんの手術を受けたことを公表できないまま健康不調に耐えておられる。放射線被ばくによる健康への悪影響が認められなければ、福島の甲状腺がん患者のような状況は、次の原発事故で被ばくする人々が経験することになるので

はないだろうか。若い患者たちが適切な手術を受け、最も効果的な治療を受けられるよう、政府と社会の両方からの共感と支援が必要である。

概要

福島県立医大と国連原子放射線の影響に関する科学委員会（UNSCEAR）は、福島原発事故後の甲状腺がんの多発は放射線被ばくの結果ではなく、UNSCEARの2020/2021年報告書で推定された低い甲状腺線量を根拠に過剰診断の可能性があると結論づけた。本研究では、UNSCEARが推定した甲状腺線量に基づいて、福島県内の４つの地域について、年間１万人当たりの甲状腺がん発生率と地域線量との関係をMicrosoft Excelの回帰分析により解析した。事故後の６年間において、年間発生率が地域の甲状腺線量に比例して増える関係が見つかり、小児甲状腺がんの主原因が放射線被ばくであることを示した。過剰絶対リスク（Excess absolute risk, EAR）は甲状腺線量に比例して増加し、１巡目・２巡目検査におけるEAR/10^4PY Gy（１Gy当たりの過剰絶対リスク）は291（95%CI：248, 334）（$p<0.001$）と137（95% CI：76, 198）（$p<0.01$）であり、チェルノブイリ事故後に観察されたEAR/10^4PY Gy≒2.3より約50～100倍高かった。これは、チェルノブイリの甲状腺線量と比較して、UNSCEARによる福島の甲状腺線量が約１/50～１/100過小評価されていることを示唆している。福島における小児甲状腺がんの増加は、チェルノブイリに匹敵する放射性ヨウ素（I-131）被ばくに起因することが判明した。

１．はじめに

2011年３月11日に始まる福島第一原子力発電所事故における３原子炉溶融に伴って放射性物質が大量に放出された後、福島県は事故当時18歳以下の住民367,649人全員を対象に甲状腺超音波検査（Thyroid

Ultrasound Examination, TUE）を開始した。福島県立医科大学（県立医大、FMU）が実施した福島県県民健康調査（FHMS）では、1巡目（2011～2013年度）および2巡目TUE（2014～2015年度）において、186件の甲状腺がんが確定または疑われる症例が検出と報告された[1,2]。FHMSはさらに、1巡目から5巡目までのTUEと20歳以降の5年ごとのTUEで316件のがんが確定または疑われた症例を報告した。FHMS以外のがん登録で確定した甲状腺がん症例を含めると、甲状腺がん症例総数は358例（303例：手術で確定）であった（2023.7.20現在）。

県民健康調査検討委員会は、1巡目および2巡目TUEにおける甲状腺がん症例の発生率が、日本のがん統計から推定される20歳未満の年間発生率（100万人あたり約3人）の数十倍であることを明らかにした[3-5]。2018年末までに県立医大病院で甲状腺がんの手術を受けた180人の術後の病理診断では、甲状腺乳頭がんが175例、甲状腺濾胞がん2例、その他の甲状腺がん2例、低分化型甲状腺がん1例であった[6]（pp.42-43）。

チェルノブイリ原発事故後の甲状腺線量は、事故後数週間以内に行われた35万件の甲状腺直接測定に基づいている[7]（B35）。UNSCEAR 2020/2021は、1歳の乳児の甲状腺線量推定値を、UNSCEAR 2013報告書[9]の33～83mGyから、避難区域で3.5～30mGy、福島県のその他の地域で1.2～20mGyに更新した[8]。更にUNSCEARは、FHMSで診断された甲状腺がんの大幅な過剰は、UNSCEARが推定した甲状腺線量では起こりえないと結論づけた[8]（226（a））。UNSCEAR 2020/2021における甲状腺線量は、甲状腺線量の直接測定から構成されたものではなく、「外部＋吸入」線量の実測値＋シミュレーション値と福島全県で一定と仮定された摂取線量に基づいて推定されたので、チェルノブイリとは異なる量であることに留意すべきである。

UNSCEARは、甲状腺がんの大幅な増加は放射線被ばくの結果ではなく、超高感度スクリーニングとその結果としての過剰診断の結果であり、その多くは臨床症状に至らない可能性があると宣言した[8]（268（q、r））。UNSCEARによる過剰診断の定義は、Welchらによるがんの過剰診断の定義、すなわち“症状や死亡に至らないがんの診断”と同じであった[10]。しかし、過剰診断の証拠は一切示されていない。原発事故後に甲状腺がんが多発したにもかかわらず、県立医大は福島における放射線被ばくと甲状腺がんの関連を否定してきた。2022年のJournal of Epidemiology誌の福島特集号で、県立医大の志村らは、UNSCEAR 2020/2021の見解に基づいて、診断された甲状腺がんの高い有病率は放射線被ばくによるものではなく、高感度の検出方法によるものだと示唆した[12]。安村らは、「過剰診断の定量化は困難であるため、過剰診断の大きさを評価することはできない」と述べている[11]。

UNSCEARも県立医大も、過剰診断の大きさを評価できないと認めているにもかかわらず、福島の甲状腺がんが数十倍の過剰になったのは超音波スクリーニングによる過剰診断が原因であるとしたのである。このように、数十倍の甲状腺がんの多発を過剰診断という定量化できない量に押し付けて被ばく影響を否定することは、科学的判断とは真逆であろう。細針吸引細胞診（FNAC、細胞診）は、FHMSでは5.1mm以上の結節に対してのみ行われたので、不必要な細胞診や過剰診断は、超高感度装置の使用により減少するはずであり、超高感度スクリーニングとその結果としての過剰診断という結論は、事実に基づかない重大な誤りである。

世界保健機関は2013年、福島県における１歳児の甲状腺等価線量を31～122mSvと推定した[13]（p.43）。しかし、緊急時環境線量情報予測システム（SPEEDI）は、１歳児の甲状腺等価線量が100～10,000mSvの範囲にある５地域を示し、避難区域外でも甲状腺線量が100mSvに達していることを示した[14]（p.154）。放射線医学総合研究所は、宇野らのデータから、原子力発電所の南または南西45〜220kmに住む母親の甲状腺等価線量を119〜432mSv、その乳児の甲状腺等価線量を330〜1,190mSvと推定した[15,16]。津田らは、1mSv未満から1,000mSv以上まで、甲状腺線量の推定値の間に大きな隔たりがあるため、代替測定が必要であると主張している[17]。

UNSCEARは、甲状腺がんと推定被ばく線量との関係についての研究をまとめている。1巡目TUEについては、津田らによる2つの論文では甲状腺がん発生率の外部比較と内部比較から、甲状腺がんの多発は被ばくの影響であるとしている[18、19]。3つの研究グループが、1巡目および/または2巡目において、放射線被ばく線量と甲状腺がん発生率との間に正の相関を認めている[20-22]。FMUグループは、1巡目TUE[23-25]及び2巡目TUE[26、27]について、被ばく線量による甲状腺がん発生率の統計的に有意な増加は認めなかった。しかし、論文23に置いて、2巡目TUEについてのFMU報告[28]のように、1巡目TUEで被ばくから検査までの間隔0.8-2.2年を調整して年間発生率を比較すると、地域の平均被ばく線量に比例して増えることが示される。FMUが統計的に有意な線量依存性を見いだせなかったのは、彼らの地域区分地図から明らかなように、被ばくレベルを反映しない地域区分を採用したからである[24-27]。

我々の先行論文では、2巡目TUEにおける3つの個人外部被ばく線量群における甲状腺がん発生率は、0.5-2.5mSvの範囲で個人外部被ばく線量および換算された甲状腺線量に対する比例関係を示した[29,30]。本研究では、1万人年当たりの地域の甲状腺がん発生率IR/10^4PYとUNSCEAR 2020/2021報告書で推定された甲状腺線量との間の線量反応関係を定量的に評価した。福島で観測された線形係数、すなわち1Gyあたりの過剰絶対リスク（EAR/10^4PY Gy）をチェルノブイリで観測されたものと比較することで、福島の推定甲状腺線量とチェルノブイリ事故直後に測定された甲状腺線量の間の較正係数が得られる。

UNSCEARが推定した甲状腺線量が低いにもかかわらず、福島で甲状腺がんの発生率が数十倍に増加した理由が理解できるであろう。

2．材料と方法

2.1．甲状腺超音波検査と被験者

原発事故時に18歳以下であった全住民367,649人を対象とした甲状腺超音波スクリーニングでは、１巡目検査で300,473人、２巡目検査で270,511人の中から、それぞれ115人、71人のがん確定症例または疑い症例が検出された[1,2]。１巡目から５巡目までの検査および５年ごとの検査で細胞診により確認された陽性症例248例のうち、247例（99.6%）が手術により悪性と確定され、１例が良性腫瘍であった。本研究では、細胞診により検出された陽性症例をがん症例と定義した。

各TUE検査は一次検査と二次検査で構成される。一次検査の超音波検査結果は３つの判定に分けられる：A（(A１)結節・嚢胞なし、(A２）結節≦5.0mmまたは嚢胞≦20.0mm)、B（結節≧5.1mmまたは嚢胞≧20mm)、C（直ちに確認検査が必要)。A判定は２年後に次回の検診が予定され、B・C判定に対しては二次検査において、高度な超音波検査、血液検査、尿検査が行われる。二次検査で陽性の場合は、細胞診または内科的経過観察となる。細胞診でがん細胞が検出された場合、患者は経過観察され、適切な時期に手術を受け、そこで悪性が最終的に確定される[1,2]。

本研究で使用されたTUE検査データセットは非識別化され、一般に公開されているため、倫理的審査は必要なかった。

2.2．福島県の４地域区分と地域線量の推定

甲状腺がん発生率は、FHMS 報告書における福島県の区分（FHMS区分）に基づいて推計した：（１）避難区域（最高線量)、（２）中通り、

（3）いわき・相馬、（4）会津（最低線量）である（図1）。この4つの地域は、2つの山脈によって隔てられており、空間線量率と^{134}Csと^{137}Csの地表面への蓄積など、放射能汚染の程度をほぼ反映している（図1B）[31]。4つの地域は、地形と放射能汚染以外は類似しており、生態学的誤謬が結果に影響することはないと予想された。

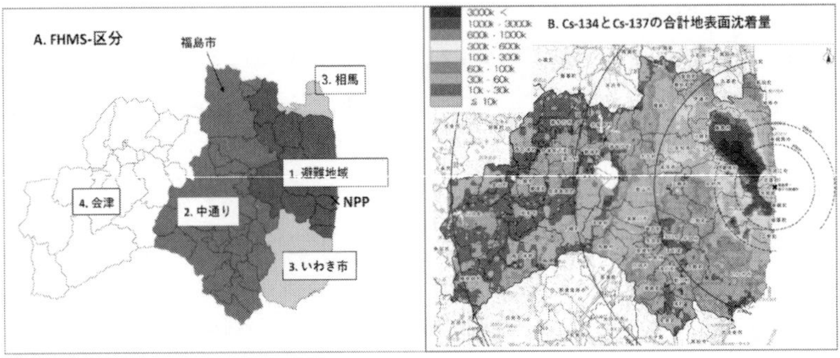

図1　A.福島県のFHMS区分の4地域　B.福島県の地表面における Cs−134とCs−137の合計沈着量2011.8.18[31].

UNSCEAR 2020/2021年版報告書[8]（附属書A−14、表14.2）で推定された10歳児の甲状腺線量について、線量反応関係を解析した。この報告書の甲状腺線量は、甲状腺の直接測定値からではなく、「外部＋吸入」線量と食物や飲料水からの摂取線量をシミュレートしたものである。後者は福島県内の全市町村で共通であると仮定された。各地域の線量は、各市町村の平均線量を1巡目検査の被検者数で重み付けして平均した[1, 32]。避難区域の市町村で複数の線量推定値が報告されている場合は、最も高い値を採用した[8]（A−18）。避難区域13市町村の線量は40シナリオで計算されており、うち23例が県外避難で、実態と離れた過小評価の可能性が高いことを考慮した。

2.3.　甲状腺がん発生率

ベラルーシのがん登録では、事故後1年目に甲状腺がん発生率の増加傾向が記録された[33]。Howardは、20歳未満の小児・青年における甲状腺がんの最低潜伏期間は1.0年であると報告している[34]。2011年10月に甲状腺超音波検査が開始され、5.1mm以上の結節が悪性の可能性があるか検査された。検出された甲状腺がん結節は、チェルノブイリ事故直後の臨床甲状腺がんよりも小さかった可能性がある。放射線被ばくに関連した甲状腺がんは、１巡目TUEで検出可能であった。

FHMS検討委員会は、１巡目および２巡目TUEで検出された甲状腺がん症例数を、2001～2010年の日本のがん統計から推定される症例の数十倍と評価した[3-5,35]。本研究では、チェルノブイリ事故後の線量反応関係の研究との比較を容易にするために、10^4人当たりの症例数：疫学教科書（例えばRothman[36]）で定義されている有病割合と発生割合を10^4倍した値を用いる。１巡目TUEで観察された甲状腺がん有病割合P１（がん症例／10^4人の被検者）は、原発事故直前の有病割合（P０）と事故から１巡目TUEまでの被ばくによる発生割合（IP１）の和、すなわちP１＝P０＋IP１と考えた。IP１は、P０が観察されたP１の約１/60（1.6%）と推定されることから、観察された有病割合P１で近似した[3-5]。

事故発生から１巡目TUEまでの４地域の平均間隔年数（INT１）は、その地域の各市町村の間隔（int１）を１次受診者数で加重平均したものから推定した。各自治体のint１はFHMSのスケジュールから計算した[21]（Figure３）。１巡目TUEの10^4PY当たりの発生率IR１は、IR１＝IP１/INT１として推定した。２巡目TUEでは、10^4人当たりの発生割合と10^4PY当たりの発生率は、１巡目と２巡目のTUEで両方の一次検査を受けた人に対する県立医大のデータを使った[28]。

2.4．統計解析

甲状腺がん発生率（IR）の線量反応関係は、過剰絶対リスク（EAR）の線形モデル：IR＝r０+r１×甲状腺線量を用いて解析した。ここで、

r０はがん登録からの自然発生率、r１×線量 は過剰絶対リスク、r１は１グレイ当たりの過剰絶対リスク（EAR/Gy）である。チェルノブイリや福島では自然発生率r０は事故後の発生率IRに比べて無視できるほど小さいため､IRとEARはほぼ同じである。IRの線量反応関係は、Microsoft Excel 2019 MSO（2112）の回帰分析を用いて解析した。各地域のIRを最小汚染地域（地域４）と比較したオッズ比の信頼区間（95% CI）は、Rothmanによる公式[36]に従って推定された。FHMSのデータが入手できないため、年齢と性別の調整ができなかったが、４地域の平均年齢と性別（男女比）はほぼ同じであったため、結果にはほとんど影響を及ぼさない。

2.5．福島とチェルノブイリの甲状腺線量単位間の較正

UNSCEAR 2020/2021における10歳児の推定甲状腺線量（単位Gy^{UN2021}とする）は事故直後の信頼できる甲状腺直接測定がない状況での推定値であり、チェルノブイリ事故後数週間以内の35万人の甲状腺直接測定に基づく甲状腺線量（単位Gy）に対して較正する必要がある[7]（B35)。我々は、原発事故後の福島とチェルノブイリにおける甲状腺がん発生率の線形線量係数、即ち$\mathrm{EAR/Gy}^{UN2021}$とEAR/Gyを比較することにより、較正係数k（$1\,\mathrm{Gy}^{UN2021}=k\times 1\,\mathrm{Gy}$）を推定した。

3．結果と考察

3.1．各地域における甲状腺がん発生率と甲状腺線量

UNSCEAR 2020/2021報告書から推定された10歳児の４つの地域における甲状腺線量、子ども10^4人当たりの甲状腺がん有病割合、10^4PY当たりの年間発生率、１巡目と２巡目TUEにおける最も汚染の少ない第４地域を基準とした発生率のオッズ比（OR）と95% CIを表１に示す。

表1　UNSCEAR 2020/2021年版報告書で推定された10歳児の甲状腺線量、1巡目TUE、10^4人当たりの有病割合、事故から1巡目TUEまでの間隔INT1、10^4PY当たりの発生率、基準地域4と比較した発生率のオッズ比および95% CI、2巡目TUE、10^4人当たりの発生割合、10^4PY当たりの発生率、発生率のオッズ比。

地域	甲状腺線量	1巡目（FY2011-2013）						2巡目（FY2014-2015）[a]		
	2021, 10Y	受診者数	甲状腺がん・含疑い数	有病割合 /10^4P	INT1	発生率 /10^4 PY	IR1のオッズ比 IR1 (95%CI)	発生割合 /10^4P	発生率 /10^4PY	IR2のオッズ比 (95%CI)
	Gy^{UN2021}			P1	/year	IR1	OR1	IP2	IR2	OR2
1．避難区域	0.0121	41,810	14	3.35	0.78	4.29	3.27 (1.5-7.1)	5.31	2.14	2.78 (0.9-8.3)
2．中通り	0.0059	169,155	65	3.84	1.50	2.56	1.95 (1.1-3.6)	2.77	1.34	1.74 (0.6-4.9)
3．いわき・相馬	0.0047	55,788	24	4.30	2.08	2.06	1.57 (0.8-3.1)	2.15	0.99	1.29 (0.4-4.1)
4．会津	0.0018	33,720	12	3.56	2.71	1.31	1（Ref.）	1.44	0.77	1（Ref.）
平均/総和	0.0061	300,473	115	3.83				2.62		

a　1巡目・2巡目で両方の一次検査を受けた者のデータ[28]

3.2．甲状腺がん発生率のUNSCEAR 2020/2021甲状腺線量に対する応答

1巡目・2巡目TUEにおけるUNSCEAR 2020/2021で推定された10歳児についての各地域の甲状腺線量に対する10^4PY当たりの発生率IRの応答を図2Aにプロットした。1巡目および2巡目TUEの発生率（IR1およびIR2）は、0.002-0.012Gyの範囲でUNSCEAR 2020/2021で推定された甲状腺線量に比例して増える関係を示した。1巡目・2巡目におけるそれぞれのオッズ比OR1（95% CI）とOR2を図2Bにプロットした。事故直前の有病割合P0は観察された1巡目における有病割合P1の約1/60と推定されたため、事故後の発生割合IP1をP1で近似した[3-5]。

検査1巡目の線形線量反応が比例係数291（95%CI：248-334）、$p=$ 0.001で観察されたことから、IP1をP1とした近似が妥当であること

が確認された。４地域における小児甲状腺がん発生率と甲状腺線量との間に直線関係が観察されたことから、１巡目および２巡目TUEで検出された甲状腺がん発生率の増加は、原発事故による放射線被ばくと関連していることが示された。

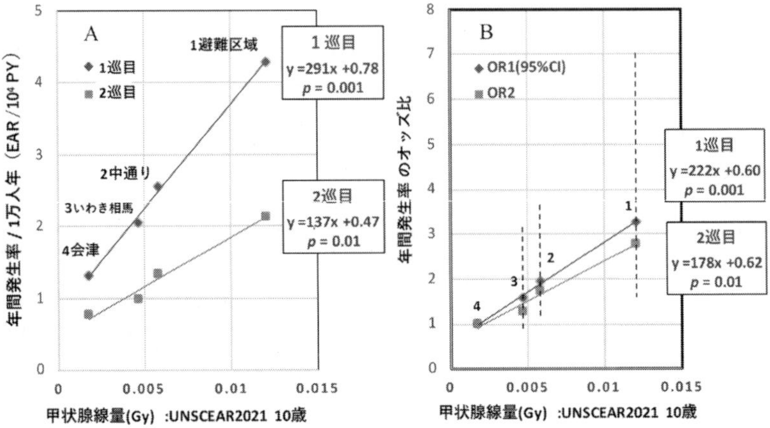

図２　FHMS区分の４地域についてUNSCEAR 2020/2021で推定された10歳児の甲状腺線量に対する１・２巡目の(A)甲状腺がん発生率、(B)発生率のオッズ比OR１(95%信頼区間）およびOR２の応答。それぞれ回帰直線式、線形線量係数の*p*値が示されている。

3.3.　原発事故後の福島とチェルノブイリにおける過剰絶対リスクEARの甲状腺線量依存性を比較する

１巡目・２巡目TUEの結果観察された発生率は、がん登録からの自然発生率の数十倍に達していることが判明している[3-5]。事故後６年間に福島県で観察された症例数と予想症例数の比50〜60は、チェルノブイリ事故後にウクライナとベラルーシの高線量地域（ゴメリ州など）で観察された30〜56倍の多発に匹敵する[37]。このことは、福島でもチェルノブイリと同程度の放射性ヨウ素被ばくがあったことを示唆している。

Jacobらは、ウクライナ南部における0.042/10^4PYの発生率を自然発生率として、1991-1995年のチェルノブイリにおける過剰絶対リスクEAR/10^4PYが甲状腺線量（Gy）に対して直線的に増加することを発見した[37]。チェルノブイリ原発事故後の甲状腺がん発生率IRと甲状腺線量との関係は広く研究されており[37-40]、事故後25年間で報告されたEAR/10^4PY Gyの平均値は2.32±0.17であった（表２B）。福島における甲状腺がん発生率－線量プロットにおける比例係数EAR/Gy^{UN2021}は、単位線量（１Gy^{UN2021}）当たりの過剰絶対リスクの増加を示す。

表２は、（A）福島県１巡目・２巡目TUEにおける４地域（FHMS区分）と３つの個人線量群（低線量群（＜１mSv）、中線量群（１－２mSv）、高線量群（≥２mSv））[29,30]の甲状腺がん発生率とUNSCEAR 2020/2021の甲状腺線量（10歳児）の間の回帰分析によって求めたEAR/10^4PYGy^{UN2021}を、（B）チェルノブイリ事故後に観測された

表２　（A）１巡目・２巡目TUEにおける４地域（FHMS区分）と３線量群の甲状腺がん発生率とUNSCEAR 2020/2021の甲状腺線量（10歳児）の間の回帰分析によるEAR/104PYGy^{UN2021}。TUEは被爆時18歳以下の住民を対象とした。
（B）チェルノブイリの事例。

（A）福島県 地域区分、個人線量群	EAR（95%CI） /10^4PY Gy^{UN2021}	p-Value for EAR/Gy^{UN2021}
１巡目　４地域	291（248, 334）	0.001
２巡目　４地域	137（76, 198）	0.01
２巡目　３個人線量群	137（83, 191）	0.02
２巡目　４地域+３個人線量群	143（122, 165）	0.00001
（B）チェルノブイリ （被ばく時年齢）	**EAR（95%CI） /10^4PY Gy**	Reference
ウクライナ・ベラルーシ・ロシア 1991-1995（０～15）	2.3（1.4, 3.8）	Jakob et al., 1998[37]
ベラルーシ・ロシア 1991-1995（０～15）	2.1（1.0, 4.5）	Jakob et al., 1999[38]
ウクライナ·ベラルーシ 1990-2001（０～18）	2.66（2.19, 3.13）	Jakob et al., 2006[39]
ウクライナ 2000-2007（<18）	2.21（0.04, 5.78）	Brenner et al., 2011[40]
チェルノブイリ （平均値）	2.32±0.17	

EAR/10^4Gyと比較したものである。１巡目TUEについて４地域の発生率―線量関係から求められたEAR/10^4PYGy^{UN2021}の291（95% CI：248, 334）は、チェルノブイリ事故後25年間に報告されたEAR/Gyの平均値2.32±0.17の約125（＝291/2.32）倍であった（表２）。

２巡目TUEについては、４地域の発生率―線量関係からEAR/10^4PYGy^{UN2021}＝137（95%CI：76, 198）、個人線量群の発生率―線量関係からも、137（95%CI：83, 191）、（４地域＋３個人線量群）の発生率―線量関係からは143（95%CI：122, 165）が求められ、いずれもチェルノブイリ事故後の平均値の約60倍であった。福島のEAR/Gy^{UN2021}値がチェルノブイリのEAR/Gyと比較して高いことは、１Gy^{UN2021}＝１Gy（k＝１）の場合、福島の子どもの発がん感受性がチェルノブイリの子どもの約60倍高いことを示す。甲状腺がん発がん感受性が世界の子どもに共通であれば、UNSCEAR 2020/2021で推定された甲状腺線量単位１Gy^{UN2021}はチェルノブイリの１Gyの約60倍（k＝60、１Gy^{UN2021}≒60Gy）であることを示唆する。UNSCEAR推定の甲状腺量は実際の約１/60の大幅な過小評価であった。

１巡目・２巡目TUEにおける甲状腺がん発生率は、UNSCEAR 2020/2021で推定された甲状腺線量に対して強い比例関係を示した。さらに、UNSCEAR報告書の甲状腺線量は、チェルノブイリにおける甲状腺の直接測定に基づいて決定された甲状腺線量（単位：Gy）と比較して、約１/50～１/100過小評価されていることがわかった。つまり、福島原発事故後に小児甲状腺がんが数十倍に増加したのは、チェルノブイリ事故と同程度の放射性ヨウ素被ばくによるものであることが判明した。

発生率－線量プロットにおける甲状腺線量ゼロの場合の発生率r０は、がん登録のデータから予想されるよりもはるかに高かった（図２A）。UNSCEARは、摂取による甲状腺線量を福島県内の全市町村に共通すると仮定し、UNSCEAR 2013では10歳児で15mGyであった経口摂取による被ばく線量を、UNSCEAR 2020/2021では0.95mGyに正当な理由なく改訂した。線量ゼロの切片r 0は、摂取線量が増加するにつれて（グラフが高線量方向に平行移動するので）正から負に減少する。従って、観測された線量ゼロの切片r 0はUNSCEAR2020/2021の線量推定における“摂取被ばく＝定数”の仮説から生じた意味のない量であるので、線量ゼロにおける自然発生率を意味しない。

UNSCEAR 2020/2021で推定された福島の10歳児の甲状腺線量に対する甲状腺がん発生率IR/10^4PYの線量反応をチェルノブイリと比較した（図３）。福島の甲状腺線量については、線量ゼロで自然発生率

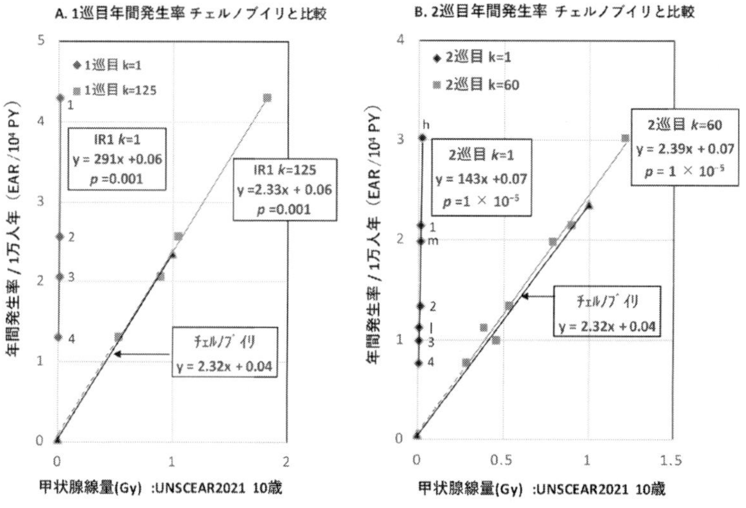

図３　(A) １巡目TUEにおけるFHMS区分４地域の甲状腺がんの発生率yと甲状腺線量xとの関係。ひし形：１Gy^{UN2021}＝１Gy(*k*＝１)の場合（y=291x+0.06）、正方形：１Gy^{UN2021}＝125Gy（*k*＝125）の場合（y=2.33x+0.06）。チェルノブイリ事故後の甲状腺線量（単位Gy）に対する甲状腺がん発生率IR（≒EAR）の平均線形応答を実線で示す（y=2.32x + 0.04）。

(B) ２巡目における４つの地域と３つの個別線量群に対する発生率IR/10^4PYの甲状腺線量反応。ひし形：１Gy^{UN2021}＝１Gy(*k*＝１)の場合（y=143x+0.07）。正方形：１Gy^{UN2021}＝60Gy(*k*＝60)の場合（y=2.39x+0.07）。チェルノブイリ事故後の発生率の平均線形応答を実線で示す(y=2.32x+0.04)。

に近づくように摂取腺量を調整した甲状腺線量を用いている。

1巡目（図3A）で、1 Gy^{UN2021}＝1 Gy（k＝1）の場合のIR（y）－甲状腺線量（x）プロットのひし形と、ほぼ垂直の回帰直線（y＝291x+0.06）は、チェルノブイリのIR—甲状腺線量（単位Gy）に対する平均的な直線関係を示す実線（y＝2.32x+0.04）とは全く異なる。しかし、1 Gy^{UN2021}＝125Gy（k＝125）に対するIR—甲状腺線量プロット（■）と回帰直線はチェルノブイリの実線と一致し、EAR/10^4 PYGy＝2.33はチェルノブイリの平均値2.32とほぼ一致した。

2巡目TUE（図3B）における4地域と3つの個人線量群のIR-甲状腺線量プロット（◆）のUNSCEAR線量を60倍すると、即ち1 Gy^{UN2021}＝60Gy（k＝60）に対応するプロット（■）となり、チェルノブイリ事故後の平均IR-甲状腺線量直線と一致し、EAR/10^{4}PYGyの2.39（95% CI 2.03, 2.75）は、チェルノブイリの2.32とほぼ一致する。したがって、k＝60は妥当な較正係数であると考えられる。1巡目で観測されたEAR/10^4 PY Gy^{UN2021}＝291と、線量単位較正係数k＝125（図3A）は2巡目TUEよりも約2倍高い。これは、1巡目TUEの細胞診実施率が26.5％であったのに対し、2巡目では11.4％であったことと関係しているかもしれない。もし細胞診が同様の基準で実施されていれば、1・2巡目における甲状腺がん発生率と較正係数はより近かったであろう。

摂取による甲状腺線量に関しては、福島県の未発表の食品データから、高濃度に汚染された野菜、例えば43,000 Bq/kgのI-131を含むホウレンソウが見つかっている[41]。2011年3月20日まで毎日250gのホウレンソウを摂取した5歳の子どもの等価甲状腺線量は、100mSvを超える[17](p.13)。これは、宇野らのデータから推計された母乳を介した乳児の等価甲状腺線量が330～1190mSvに達するという報告（7人の母親中1人は福島県いわき市、6人は茨城県・千葉県居住者）を裏付けるものである[15,16]。1歳の乳児の摂取による甲状腺線量は、

UNSCEAR 2013の33mGyからUNSCEAR 2020/2021の1.1mGyに修正されたが、著しく過小評価されている可能性がある[8、9]。上記の２つの要因だけを考慮しても、UNSCEARによる１/50～１/100の過小評価はあり得ると思われる。UNSCEARによる過小評価の詳細については、今後検討する必要がある。

3.4.　エビデンスのない過剰診断仮説と進行期甲状腺がんの重症化の可能性

我々の結果とは逆に、UNSCEAR と県立医大は、FHMSで診断された甲状腺がんの発生率ががん登録と比較して高いのは、放射線被ばくの結果ではなく、むしろ超高感度スクリーニングが過剰診断につながった結果であると結論づけた[8、11、12]。しかし、一次検査でBおよびC判定の者に対する二次検査は、一次検査で5.1mm以上の結節であった者に対してのみ行われるので、不必要な細胞診とその結果としての過剰診断は、超高感度装置の使用により減少するはずである。

UNSCEARは、チェルノブイリで観察された単位線量当たりの小さいリスク係数（主に単位線量当りの過剰相対リスクERR/Gy）[40、42、43]に、Gy^{UN2021}＝Gyと仮定した過小評価された甲状腺線量を乗じて、福島の甲状腺がんリスクを推定した。従って甲状腺がんのリスクも１/50～１/100程度に減少したのである。彼らは、「観察された甲状腺がんの高い発生率から過小評価された放射線誘発甲状腺がんの発生率を差し引いたもの」を、何の根拠もなく過剰診断のせいだとした。線量単位Gy^{UN2021}あたりの福島県民の実際のリスク係数は、UNSCEARによる推定よりもk＝50～100倍高かった。

追加説明［UNSCEARの過小評価甲状腺線量にチェルノブイリのリスク係数を適用した附属文書“A-23福島第一原子力発電所事故による健康影響の疫学的検出のための出力計算”は無効である。］

甲状腺検査は福島県立医大が実施し、ほとんどの手術は県立医大病院で鈴木教授の元で行われた。手術を受けた180例の甲状腺がん症例のうち乳頭がんが175例（97％）、リンパ節転移が72％、肺転移が1.7％であったと報告されている[6]（pp.42-43）。鈴木氏は、手術症例には、通常、積極的経過観察が推奨される超低リスク症例は含まれていないと報告し、過剰診断を否定している。病理学的所見は、潜伏期間が短く、リンパ節転移、静脈浸潤の割合が高く、遠隔転移の発生率が高いというチェルノブイリ事故後の甲状腺がんの攻撃的な特徴[44,45]と類似している。

県立医大は、「TUE検査のメリットとデメリット」を公表し、甲状腺検査対象者・保護者がメリットとデメリットを理解した上で、検査を受けるかどうかを決定するよう求めている[46]。デメリットとして考えられるのは、残りの生涯にわたって気づかない無害な甲状腺がんを診断・治療する可能性があることであり、さらに、超音波検査による甲状腺がんの早期発見が、がんの死亡率を低下させるかどうかは科学的に明らかではないと説明されている。UNSCEARや県立医大が提示し広めた過剰診断仮説に影響を受けて、甲状腺検査を中止すべきとの議論も行われている。米国では1974年から2013年の間に甲状腺がんの発生率が毎年３％増加し、進行期甲状腺乳頭がんの発生率と甲状腺がん死亡率が増加したと報告されている[47]。私たちは、FHMSの進行期甲状腺がん患者が再発や転移によって悪化する可能性にもっと注目すべきである。

観察された線量反応関係に加えて、福島における甲状腺がんの放射線起因性を示す多くの証拠が見つかっている。第一に、２巡目で検出された71例のがん症例のうち、33例は１巡目ではA１判定「結節・嚢胞なし」であった。これは、福島の小児甲状腺がんの成長が速いという性質により、２巡目での発生率が高くなったことを示している。第二に、Demidchikらと柴田らは、チェルノブイリ事故以前に生まれた子どもでは甲状腺がんが検出されたが、事故後に生まれた子どもでは超音波スクリーニングで甲状腺がんが検出されなかったことを報告しており、スクリーニング効果で甲状腺がんが発見されることはないことは既知の事実である[44,48]。

福島の甲状腺がん発生率とUNSCEARによって推定されたと甲状腺線量との間に強い相関が観察されたことから、福島の子どもたちの甲状腺がん発生率の増加は、チェルノブイリの子どもたちと同程度の放射性ヨウ素被ばくによるものであることが明らかになった。被ばく影響による多発をエビデンスのない過剰診断による多発で置き換えることは決してできない。

4．結論

福島原発事故による放射線被ばく時に18歳以下であった全住民を対象とした甲状腺超音波検査において、甲状腺がん発見率が、がん統計から予測される数十倍に増加した原因を調べた。UNSCEAR 2020/2021で推定された甲状腺線量に対する甲状腺がん発生率の線量反応関係が観察されたことから、原発事故後6年間にFHMSで検出された小児および思春期の甲状腺がん発生の主な原因は放射線被ばくであることが示された。

UNSCEAR 2020/2021が推定した甲状腺線量の単位をGy^{UN2021}とすると、単位線量当りの過剰絶対リスクEAR/10^4PY Gy^{UN2021}は1巡目では291（95%CI：248, 334）、2巡目（4地域）では137（95%CI：76, 198）であり、チェルノブイリ事故後に観測された平均値2.32の約50～100倍であった。このことは、UNSCEAR 2020/2021による甲状腺線量が、チェルノブイリ事故時の甲状腺線量（単位：Gy）に比べて約1/50～1/100に過小評価されていたことを示している。福島原発事故後の小児甲状腺がん発生率が自然発生率の数十倍に増加したのは、チェルノブイリ事故と同程度の放射性ヨウ素による被ばくが原因であることが判明した。

過剰診断は被ばく線量とは無関係であるので、甲状腺がんの発生率が甲状腺線量に比例して増加していることは、福島における甲状腺がんの多発が過剰診断による増加ではないことを示している。UNSCEAR 2020/2021年版報告書の結論で示されたスクリーニング効果とその結果としての過剰診断仮説が証明されたことはない。エビデンスのない過剰診断仮説によって、若い患者をこれ以上待たせることは許されない。

省　略

TUE	thyroid ultrasound examination　甲状腺超音波検査
FHMS	Fukushima Health Management Survey　福島県民健康調査
FMU	Fukushima Medical University　福島県立医科大学
FNAC	細針吸引細胞診
PY	person-years　人年
EAR	excess absolute risk per 10^4 PY　過剰絶対リスク/１万人年
P１	１巡目TUEの甲状腺がん有病割合/１万人
P０	原発事故直前の甲状腺がん有病割合/１万人
IP１	事故から１巡目検査までの甲状腺がん発生割合　P１＝P０+IP１
IR1、IR２	１巡目・２巡目TUEの１万人年当たりの発生率
EAR/Gy	excess absolute risk per Gray　１グレイ当たりの過剰絶対リスク
Gy^{UN2021}	UNSCEAR 2021推定の10歳児の甲状腺線量単位

引用文献・リンク

１．県民健康調査検討委員会　https://www.pref.fukushima.lg.jp/site/portal/kenkocyosa-kentoiinkai.html

２．福島県「県民健康調査」報告　https://fukushima-mimamori.jp/outline/uploads/report_r1.pdf

３．福島県県民健康調査検討委員会　県民健康調査における中間取りまとめ 2016年３月　https://www.pref.fukushima.lg.jp/uploaded/attachment/158522.pdf

４．福島県における甲状腺がん有病者数の推計 津金昌一郎2014年　https://www.pref.fukushima.lg.jp/uploaded/attachment/91000.pdf

５．福島県県民健康調査検討委員会甲状腺検査評価部会、甲状腺検査本格検査（検

査２回目）結果に対する部会まとめ2019年　https://www.pref.fukushima.lg.jp/uploaded/attachment/336455.pdf
6．鈴木眞一　Surgical treatment of pediatric thyroid cancer in Japan, 第２回放射線医学県民健康管理センター国際シンポジウム報告書（ English ）　https://ir.fmu.ac.jp/dspace/bitstream/123456789/1353/2/report_2ndIntlSympo_EN.pdf
7．United Nations Scientific Committee on the Effects of Atomic Radiation. UNSCEAR 2008 Report to the General Assembly with Scientific Annex C, D and E; United Nations: New York, NY, USA, 2008.
8．United Nations Scientific Committee on the Effects of Atomic Radiation, Sources, Effects and Risks　Ionizing Radiation UNSCEAR 2020/2021 Report, Scientific Annex B:, Attachments A-2, A-9, A-14.
9．United Nations Scientific Committee on the Effects of Atomic Radiation, UNSCEAR 2013 Report, Absorbed Dose in Thyroid in Japan for the first year, Estimated doses to evacuees in Japan for the first year.
10. Welch, H.G. and Black W.C. Overdiagnosis in cancer. J Natl Cancer Inst. 2010, 102, 605–613.　https://academic.oup.com/jnci/article/102/9/605/894608
11. Yasumura, S.; Ohira, T.; Ishikawa, T. et al.　Achievements and Current Status of the Fukushima Health Management Survey, Journal of Epidemiology 2022, 32（Supple. 12）, S3-S10.
12. Shimura, H.; Suzuki, S.; Yokoya, S et al. A Comprehensive Review of the Progress and Evaluation of the Thyroid Ultrasound Examination Program, the Fukushima Health Management Survey. Journal of Epidemiology 2022, 32（Supple. 12）, S12-S35.
13. World Health Organization. Health risk assessment from the nuclear accident after the 2011 great east Japan earthquake and tsunami. Geneva: WHO Press; 2013. P. 35–50.
14. Nagataki, S. Thyroid consequences of the Fukushima nuclear reactor accident. European Thyroid Journal 2012, 1, 148–158.
15. Unno N.; Minakami H.; Kubo T.; Fujimori K.; Ishiwata I.; Terada H. et al. Effect of the Fukushima nuclear power plant accident on radioiodine（^{131} I）content in human breast milk. J Obstet Gynaecol Res. 2012, 38, 772–779.
16. National Institute of Radiological Sciences（NIRS）. Material 1-2-3. Analysis of data on breast milk measurement after Fukushima accident. 2014. p.7-13. http://www.env.go.jp/chemi/rhm/conf/conf01-06/mat01_2.pdf

17. Tsuda, T.; Miyano, Y.; Yamamoto, E.; Demonstrating the undermining of science and health policy after the Fukushima nuclear accident by applying the Toolkit for detecting misused epidemiological methods. Environmental Health 2022, 21, 21-77. https://doi.org/10.1186/s12940-022-00884-6
18. Tsuda T., Tokinobu, A.; Yamamoto, E.; Suzuki, E. Thyroid cancer detection by ultrasound among residents ages 18 years and younger in Fukushima, Japan. 2011 to 2014. Epidemiology 2016, 27, 316-322.
19. Tsuda, T.; Tokinobu, A.; Yamamoto E.; Suzuki, E. Re: Associations between childhood thyroid cancer and external radiation dose after the Fukushima Daiichi Nuclear Power Plant accident. Epidemiology 2018, 29, e56-e57.
20. Kato T. Re: Associations between childhood thyroid cancer and external radiation dose after the Fukushima Daiichi Nuclear Power Plant Accident. Epidemiology 2019; 30: e9–e11.
21. Yamamoto, H.; Hayashi, K.; Scherb, H. Association between the detection rate of thyroid cancer and the external radiation dose-rate after the nuclear power plant accidents in Fukushima, Japan. Medicine 2019, 98, e17165.
22. Toki, H.; Wada, T.; Manabe, Y.; Hirota, S.; Higuchi, T.; Tanihata, I. et al. Relationship between environmental radiation and radioactivity and childhood thyroid cancer found in Fukushima health management survey. Sci Rep 2020, 10, 4074.
23. Suzuki, S.; S. Suzuki, T.; Fukushima, T.; Midorikawa, S.; Shimura, H. et al. Comprehensive survey results of childhood thyroid ultrasound examinations in Fukushima in the first four years after the Fukushima Daiichi Nuclear Power Plant accident. Thyroid 2016, 26, 843-851.
24. Ohira, T.; Takahashi, H.; Yasumura, S.; Ohtsuru, A.; Midorikawa, S.; Suzuki, S. et al. Comparison of childhood thyroid cancer prevalence among 3 areas based on external radiation dose after the Fukushima Daiichi nuclear power plant accident: The Fukushima health management survey. Medicine（Baltimore）2016; 95: e4472.
25. Ohira, T.; Takahashi, H.; Yasumura, S.; Ohtsuru, A.; Midorikawa, S.; Suzuki, S. et al. Associations between childhood thyroid cancer and external radiation dose after the Fukushima Daiichi Nuclear Power Plant accident. Epidemiology 2018, 29, e32-e34.
26. Ohira T, A. Ohtsuru S, Midorikawa S, Takahashi H, Yasumura S, Suzuki S,

et al. External radiation dose, obesity, and risk of childhood thyroid cancer after the Fukushima Daiichi Nuclear Power Plant accident: The Fukushima Health Management Survey. Epidemiology 2019, 30, 853-860.

27. Ohira, T.; Shimura, H.; Hayashi, F.; Nagao, M.; Yasumura, S.; Takahashi, H. et al. Absorbed radiation doses in the thyroid as estimated by UNSCEAR and subsequent risk of childhood thyroid cancer following the Great East Japan Earthquake. Journal of Radiation Research 2020, 61 243–248.

28. Radiation Medical Science Center for the Fukushima Health Management Survey, Summary of results of Thyroid Ultrasound Examination. Example of adjusting detection rates for inspection interval（2017）（in Japanese） https://www.pref.fukushima.lg.jp/uploaded/attachment/244313.pdf

29. Kato, T.; and Yamada, K. Individual dose response and radiation origin of childhood and adolescent thyroid cancer in Fukushima, Japan. Clinical Oncology & Research 2022. https://www.sciencerepository.org/individual-dose-response-and-radiation_COR-2022-2-102

30. Kato, T.; and Yamada, K.; Individual dose response and radiation origin of childhood and adolescent thyroid cancer in Fukushima II: Possibility of High I-131 Exposure as in Chernobyl, Clinical Oncology & Research 2022. http://dx.doi.org/10.31487/j.COR.2022.04.02

31. Ministry of Education, Culture, Sports, Science and technology, Results of Airborne Monitoring Survey by MEXT in the Western Part of Fukushima Prefecture（September 12, 2011）. https://radioactivity.nra.go.jp/en/contents/4000/3168/24/1270_0912_2.pdf

32. Kato, T. Area Dose Response of Prevalent Childhood Thyroid Cancers after the Fukushima Nuclear Power Plant Accident. Clinical Oncology and Research 2019. http://dx.doi.org/10.31487/j.COR.2019.06.16

33. Pacini, F.; Vorontsova, T.; Demidchik, E.P.; Molinaro, E.; Agate, L. et al. Post-Chernobyl Thyroid Carcinoma in Belarus Children and Adolescents: Comparison with Naturally Occurring Thyroid Carcinoma in Italy and France. Journal of Clinical Endocrinology and Metabolism 1997, 82, 3563-3569.

34. Howard, J. Minimum Latency & Types or Categories of Cancer. 9.11 Monitoring and Treatment, 2014.
https://www.cdc.gov/wtc/pdfs/policies/wtchpminlatcancer2014-11-07-508.pdf

35. Cancer statistics in Japan 2. Incidence 1）National Cancer Registries in

Japan(1975-2016), (2016-2018). https://ganjoho.jp/reg_stat/statistics/data/dl/en.html

36. Rothman KJ. Epidemiology: An introduction. 2nd edition. New York: Oxford University Press; 2012.

37. Jacob, P.; Goulko, G.; Heidenreich, W.F.; Likhtarev, I.; Kairo, I. et al. Thyroid cancer risk to children calculated. Nature 1998 392, 31–32. https://doi.org/10.1038/32076

38. Jacob P, Kenigsberg Y, Zvonova I, Goulko G, Buglova E et al. Childhood exposure due to the Chernobyl accident and thyroid cancer risk in contaminated areas of Belarus and Russia. British Journal of Cancer 1999, 80; 1461–1469.

39. Jacob, P.; Bogdanova, T.I.; Buglova, E. et al. Thyroid cancer risk in areas of Ukraine and Belarus affected by the Chernobyl accident. Radiation Research 2006, 165, 1–8.

40. Brenner, A.V.; Tronko, M.D.; Hatch, M.; Bogdanova, T.I.; Oliynik, V.A.; Lubin, J.H. et al. I-131 Dose Response for Incident Thyroid Cancers in Ukraine Related to the Chornobyl Accident. Environmental Health Perspectives 2011, 119, 933-939.

41. OurPlanet-TV. Unpublished Data Show High Concentrations of Iodine-132 in Foods after the Nuclear Accident-Fukushima Prefecture. 2022. Available online: https://www.ourplanet-tv.org/44603/

42. Zablotska, L.B.; Ron, E.; Rozhko, A.V. et al. Thyroid cancer risk in Belarus among children and adolescents exposed to radioiodine after the Chornobyl accident. Br. J. Cancer 2011, 104, 181–187.

43. Tronko, M.D.; Howe, R.W.; Bogdanova, T.I. et al. A cohort study of thyroid cancer and other thyroid diseases after the Chornobyl accident: Thyroid cancer in Ukraine detected during the first screening. J. Natl. Cancer Inst. 2006, 98, 897–903.

44. Demidchik, Y.E.; Saenko, V.A.; Yamashita, S. Childhood thyroid cancer in Belarus, Russia, and Ukraine after Chernobyl and at present. Arq. Bras. Endocrinol. Metab. 2007, 51, 748–762.

45. Tronko, M.; Bogdanova, T.; Komissarenko, I.; Epstein, O. et al. Thyroid Carcinoma in children and adolescents in Ukraine after the Chernobyl nuclear accident. Cancer 1999, 86, 149–156.

46. 福島県「県民健康調査」甲状腺検査検査のメリット・デメリット
https://fukushima-mimamori.jp/thyroid-examination/uploads/merit_demerit_booklet_01.pdf
47. Lim, H.; Devesa, S.S.; Julie, A.; Sosa, J.A.; David Check, D.; Cari, M.; Kitahara, C.M. Trends in Thyroid Cancer Incidence and Mortality in the United States, 1974–2013. JAMA 2017, 317, 1338–1348.
48. Shibata, Y., Yamashita, S., Masyakin, V.B.; Panasyuk, G.D.; Nagataki, S. 15 years after Chernobyl: new evidence of thyroid cancer. Lancet 2001, 358, 1965–1966.

4　UNSCEAR議長への手紙とその返信

田口　茂

元NEC勤務　任意団体代表　NPO放射線安全フォーラム
NPO市民科学研・低線量被ばく研究会

1．はじめに

国連科学委員会（UNSCEAR）は2021年３月に『UNSCEAR 2020/2021報告書』[1]を発表した。「放射線被ばくが直接の原因となる健康影響（例えば発がん）が将来的に見られる可能性は低い」との日本語のプレスリリース[2]を発表し、メディアや国民を意図的にミスリードした。英語の本文とは大きな乖離があるものだった。

しかし、「世界中の専門家で構成されたUNSCEARが言っているのだから、間違いないだろう」とする「先入観」が日本政府、福島医大、メディア、市民の間に広まってしまった。

2022年７月にいわき市で開催されたUNSCEAR主催のパブリック・ミーティングでは、多くの質問と疑問が、報告書の内容を検証してきた専門家や市民から出されたが、UNSCEARからの納得いく回答は得られないまま、打ち切られてしまった。それから１年経過し、UNSCEAR 2020/2021 報告書は100ヶ所以上の問題点がある事が、本行忠志・大阪大学名誉教授によって2023年11月に開催された、日本放射線影響学会[3]はじめ、多くのシンポジウムや学習会等で報告された。

350人以上の甲状腺がん患者の思いに応える為には、多くの間違い、被ばく線量矮小化、改竄・捏造された非科学的なUNSCEAR 2020/2021報告書である事を、UNSCEARはじめ政府に公式に認めさせる事が最重要課題である。「先入観」に風穴を開けるには、政府やUNSCEARに直接働きかける等有効な手法を模索しながら、展開する事が必要だ。

但し、100ヶ所以上の問題点をUNSCEARや政府に公式に認めさせ、直ちに若い甲状腺がん患者の救済に向かうことができるかが今後の大きな課題でもある。

そのきっかけ作りとして、パブリック・ミーティングから約1年経過した2023年8月と9月に、UNSCEARの事務局長に『UNSCEAR 2020/2021報告書に日本側はどう関与したか』[4]について、4回に分け英訳を送った。2か月後には議長にも送付した。

甲状腺がん患者の思いや闘いに応えるには、国会議員の支援も得ながら、環境省や内閣府、外務省、復興庁等の省庁を動かし、UNSCEARにも同時に働きかける必要がある。メディア・ジャーナリストそして市民の力を結集し、日本政府と同時にUNSCEARにも働きかけることが重要だ。既に進められている闘いをさらに強化する新たな闘いは始まったばかりである。筆者がこの間行ってきたUNSCEAR事務局長との手紙のやりとりを紹介することは、そのような闘いの一

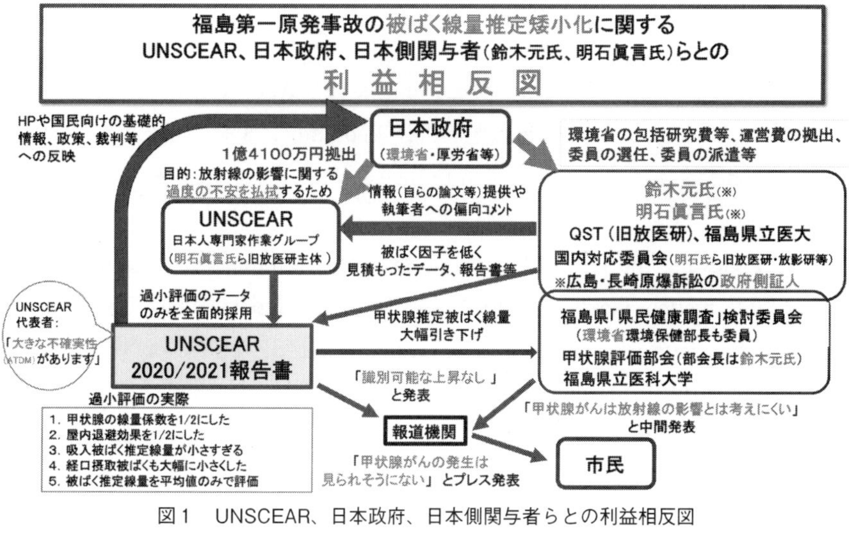

図1　UNSCEAR、日本政府、日本側関与者らとの利益相反図

助となると信じるので本章で紹介する。

尚、UNSCEAR報告書による被ばく線量矮小化、被ばくによる健康影響否定の背景にある『UNSCEAR、日本政府、日本側関与者らとの利益相反図』を図1に示した。この利益相反がUNSCEAR 2020/2021報告書を大きく歪め、UNSCEARの信頼は地に落ちたと言っていい。

2．UNSCEAR事務局長への手紙と返信

2023年8月と9月にUNSCEARの事務局長に「UNSCEAR 2020/2021報告書に日本側はどう関与したか」[4]について、4回に分け英訳を送ったところ、約1週間後の9月17日に以下の返事が届いた。「新たな関連科学情報や査読付き文献が入手可能になった場合、その量と質を考慮し、委員会はUNSCEAR 2020/2021報告書以降に発表された情報の影響について、レビューと評価の必要性を評価する」と、新たな報告書発刊の可能性を示唆している。

> Dear Mr. Shigeru Taguchi
>
> Thank you very much for the emails of 3 August, 4 September, 5 September, 7 September, 9 and 18 September 2023. Your concerns and the information provided to the secretariat are well received and noted.
> Following the UNSCEAR public event in Iwaki last year, additional information about the UNSCEAR 2020/2021 Report, annex B and its preparation have been made available for the public on the UNSCEAR website under "Questions and Answers", in English
> UNSCEAR 2020/2021 Fukushima Report – Frequently Asked Questions and Answers and Japanese 東電福島第一原子力発電所事故 (unscear.org)

> When new relevant scientific information and peer reviewed literature become available, considering its quantity and quality, the Committee will evaluate the need for review and assessment of the implications of information published since the UNSCEAR 2020/2021 Report.
> Sincerely,
> Borislava Batandjieva-Metcalf （UNSCEAR事務局長）

日本語訳は以下（本文のみ）

> 2023年８月３日、９月４日、９月５日、９月７日、９月９日、９月18日付のEメール、誠にありがとうございました。皆様のご懸念と事務局への情報提供は十分に受け止め、留意しております。昨年のいわきでのUNSCEAR公開イベント後、UNSCEAR 2020/2021報告書、附属書Bおよびその準備に関する追加情報が、UNSCEARウェブサイト（「Q&A」の下、英語ではUNSCEAR 2020/2021 Fukushima Report - Frequently Asked Questions and Answers
> 日本語では東電福島第一原子力発電所事故（unscear.org）で公開されました。
> 新たな関連科学情報や査読付き文献が入手可能になった場合、その量と質を考慮し、委員会はUNSCEAR 2020/2021報告書以降に発表された情報の影響について、レビューと評価の必要性を評価する。

３．UNSCEAR議長への手紙

UNSCEAR事務局長からは2023年９月17日には回答を得ていたが、UNSCEAR全体の組織としての公式な回答を得る為にも、念の為に2023年11月30日にUNSCEARの現議長及び事務局長、それに報告書作成時の前議長と執筆者の一人（ロシア人）宛に、以下の第１回目の手紙（メール）を送付した。

2023年11月24日に開催された第49回・「県民健康調査」検討委員会[6]に、『福島原発事故による甲状腺被ばくの真相を明らかにする会』として、提出した要望書[7]の一部を英訳したものであった。

第１回目の最初のメール[8]は以下のようなものであった。（原文は英語、一部省略）

> Dear Dr Jing Chen　Chair of the UNSCEAR Committee（議長）
>
> CC　Ms. Borislava Batandjieva-Metcalf,（事務局長）
>
> 私たち『福島原発事故による甲状腺被ばくの真相を明らかにする会』（明らかにする会）は、福島原発事故の甲状腺がんと放射線被ばくの因果関係について、福島医科大学の論文はじめ多くの論文やデータを真剣かつ集中的に研究してきました。
>
> 更に、2021年３月に「UNSCEAR 2020/2021報告書」が発行されてからは、他の多くの研究者らと共に UNSCEAR 2020/2021 報告書の検証をしてきました。
>
> その結果、
>
> １．本行忠志氏によって、UNSCEAR 2020/2021報告書には100ヶ所以上の過小評価等がある事が明らかとなりました。
>
> 更に2022年７月に、いわき市等で開催された、UNSCEAR 主催の『パブリック・ミーティング』での質問や事前の公開質問等の結果、その間違いや歪曲・捏造がいっそう明らかとなりました。尚、UNSCEARへの質問結果や回答は『UNSCEAR 2020/2021報告書検証ネットワーク』の以下のHP[9]に公開されています。
>
> 2023年11月に開催された日本放射線影響学会でも、本行氏がUNSCEAR 2020/202報告書の問題点について発表されました。
>
> その場にいた元福島県甲状腺評価部会長の鈴木元氏からは、質問

も異論も出なかったとの事。この事はUNSCEAR 2020/2021報告書作成に強く関与し、甲状腺評価部会の部会長を務め、UNSCEAR 2020/2021 報告書の内容を説明した鈴木元氏が、その問題点を認めた事に他なりません。

2．本会員の加藤聡子氏（理学博士）らによって発表されたCancers誌論文『福島の小児甲状腺がんとUNSCEAR 2020/2021甲状腺量との間の地域線量反応と被ばく起源：チェルノブイリ並みの高濃度131 I 被ばく』の福島甲状腺がん発生率とUNSCEAR 2020/2021甲状腺量との間の１、２巡目検査における量反応関係から、以下が明らかとなりました。

①　甲状腺がんは放射線被ばく由来である事、

②　福島の実際の甲状腺被ばくはチェルノブイリ並みであり、UNSCEAR 2020/2021報告書の50～100倍である事も明らかとなりました。

3．福島医科大学論文には多くの疑問や間違いがある事が判明しました。福島医科大学の論文は甲状腺吸収線量（等価線量）を自ら評価・検証する事なく、多くの論文は単にUNSCEAR報告書に依拠しています。その依拠するUNSCEAR報告書の科学性が崩れたことで、福島医科大学の多くの論文の信頼性が崩れた事は明らかです。

更に甲状腺がんの被ばくとの関連についての福島医科大学論文は、交絡因子の必要３条件を無視した交絡因子の調整と有意差検定の誤用といった、ロスマンの疫学ASA（アメリカ統計学会）の警告を無視する初歩的な誤りを犯しています。

注：原発事故以来13年も経過し未だに結論がでていない。検証を速やかに、かつ正確（科学的）に実施する為、福島医科大学が保有する情報を可能な限り世界に公開する事は必須です。

更に、偏った結果を防止し、速やかな結論を出す為にも福島医科大学に加え、海外の研究所を含めた国内外の第三者機関との共同研

> 究も重要ではないかと考えます。
> 　私たちは福島原発事故以来、長期間にわたる検証・検討結果に基づいて、UNSCEAR 2020/2021報告書の線量評価の矮小化等の問題点や福島医科大学の被ばく影響を否定する論文の問題点を明らかにし、370人もの甲状腺がんは福島原発事故由来によるものである事を明らかにしました。（後略）

第1回目の手紙に続き、2023年12月4日～7日に4回（2回目～5回目）に分けて『UNSCEAR　2020/2021報告書に日本側はどう関与したか』を英語に翻訳し送付した。

第2回目[10]：6章　パブリック・ミーティングで明らかになった問題点
第3回目[11]：5章　日本作業グループはどう関与したか
第4回目[12]：7章　メディアのUNSCEAR批判
第5回目[13]：8章　UNSCEARが非科学的である5つの理由
　　　　　　9章　UNSCEARへの公開質問
　　　　　　10章　UNSCEARの公開質問から見えてくるもの

4．UNSCEAR議長からの返信

問題が多いUNSCEAR 2020/2021 報告書に代わる、新しい報告書を発刊すべきと、2023年8月と9月に事務局長に要請していた内容を、2023年11月に再度新議長にも要求したところ、1週間後にUNSCEAR議長から以下の回答が届いた。2023年8月と9月に事務局長に送信していたメールは、議長にも届いていた事が議長の回答からわかった。

議長からの回答は、以前の事務局長からの回答を踏襲したもので、結論部分はまったく同じであった。但し、二人の返信は一般的なUNSCEAR報告書の改定の手続きを述べたにすぎず、UNSCEAR 2020/2021報告書には100ヶ所以上の問題点の詳細を報告する以前の返信である。この100ヶ所以上の問題を認識させ、更にUNSCEARを追い詰める必要がある。

> Dear Mr. Shigeru Taguchi
> Thank you for your recent emails and the emails of 3 August, 4 September, 5 September, 7 September, 9 and 18 September 2023. Your concerns and the information provided to the secretariat are well received and noted.
> The UNSCEAR 2020/2021 Report, annex B – Levels and effects of radiation exposure due to the accident at the Fukushima Daiichi Nuclear Power Station: implications of information published since the UNSCEAR 2013 Report provided a comprehensive evaluation of the scientific information available (up to the end of 2019) relating to the levels and effects of radiation exposure due to the FDNPS accident.
> When new relevant scientific information and peer-reviewed literature become available, considering its quantity and quality, **the Committee will evaluate the need for another review and assessment of the implications of information published since the UNSCEAR 2020/2021 Report.**
>
> Sincerely,
> Jing Chen
> Radiation Protection Bureau, Health Canada

日本語訳は以下の通り。

> 田口　茂様
> 　最近のメール、および2023年８月３日、９月４日、９月５日、９月

> ７日、９月９日、９月18日のメール、ありがとうございました。ご懸念と事務局への情報提供は十分に受け止め、留意いたします。
>
> UNSCEAR 2020/2021年版報告書附属書B「福島第一原子力発電所事故による放射線被ばくのレベルと影響：UNSCEAR 2013年版報告書以降に公表された情報の意味するもの」は、FDNPS事故による放射線被ばくのレベルと影響に関連して入手可能な科学的情報（2019年末まで）の包括的評価を提供した。
>
> 新たな関連科学情報や査読付き文献が入手可能になった場合、その量と質を考慮し、**委員会はUNSCEAR 2020/2021年報告書以降に公表された情報の影響について、再度レビューと評価を行う必要性を評価する。**
>
> 敬具
>
> ジン・チェン
>
> カナダ保健省放射線防護局　（UNSCEARの議長でもある）

５．おわりに

今後UNSCEAR 2020/2021報告書の被ばく線量の大幅な過小評価と、過小評価した線量に基づく被ばくによる重大な健康被害の否定を撤回させ、日本政府が被ばくによる甲状腺がんであることを認めて、甲状腺がんに苦しむ370人を超える若者の救済に取り掛かることが急務である。

その為には、興味を持っている国会議員に分かりやすく問題点を解説する機会を得て、同時に環境省はじめ外務省、内閣府、復興庁、原子力規制庁等関係省庁に働きかけを行っていく必要がある。福島県や県議会の会派や委員会等への説明、更にメディアやジャーナリストに記事や報道で取り上げてもらう事も大事であり、講演会や学習会等の広報活動も積極的に実施する必要がある。原発事故による放射線被ばくの深刻な健康被害を無かった事にしてはならない。

福島県の甲状腺評価部会や県民健康調査検討委員会での、誤ったUNSCEARの線量評価を根拠に被ばく影響を否定した誤りを正し、370人を超える若者が甲状腺がんに罹患した原因は被ばくの影響である事を国に認めさせることが急務である。その事によって、国や福島県が若い甲状腺がん患者の救済と、さらなる甲状腺検査の充実、医療保障、最適な治療を受けられるような環境づくりをする事を期待したい。本当の闘いはこれから始まる。

参考リンク・文献

1．UNSCEAR2020/2021報告書日本語版
https://www.unscear.org/unscear/uploads/documents/unscear-reports/UNSCEAR_2020_21_Report_Vol.II_JAPANESE.pdf

2．UNSCEAR報告書プレスリリース
https://www.unscear.org/docs/publications/2020/PR_Japanese_PDF.pdf

3．日本放射線影響学会での本行・大阪大学医学部名誉教授の報告書
http://natureflow.web.fc2.com/HP/index.html
UNSCEAR2020/2021報告書に100ヶ所以上の問題
http://natureflow.web.fc2.com/HP/slide/231123Hongyo.pdf
http://natureflow.web.fc2.com/HP/index.html

4．田口　茂「UNSCEAR 2020/2021報告書に日本側はどう関与したか」福島原発事故による甲状腺被ばくの真相を明らかにする会『チェルブイリ並み被ばくで多発する福島甲状腺がん』耕文社pp.49-67
又は
前半：https://nimosaku.blog.ss-blog.jp/2023-02-12
後半：https://nimosaku.blog.ss-blog.jp/2023-02-13

5．UNSCEAR事務局長への手紙と回答
第１回目：https://nimosaku.blog.ss-blog.jp/2023-09-04-1
第２回目：https://nimosaku.blog.ss-blog.jp/2023-09-0
第３回目：https://nimosaku.blog.ss-blog.jp/2023-09-07
第４回目：https://nimosaku.blog.ss-blog.jp/2023-09-11
回答：https://nimosaku.blog.ss-blog.jp/2023-11-04

6．第49回県民健康調査委員会の資料 https://www.pref.fukushima.lg.jp/sec/21045b/kenkocyosa-kentoiinkai-49.html
7．第49回県民健康調査委員会への要望書 https://nimosaku.blog.ss-blog.jp/2023-11-18-1
8．UNSCEAR議長への手紙（第1回） https://nimosaku.blog.ss-blog.jp/2023-12-03
9．UNSCEAR2020/2021報告書検証ネットワークのHP https://www.unscear2020report-verification.net/
10. UNSCEAR議長への手紙（第2回） https://nimosaku.blog.ss-blog.jp/2023-12-09
11. UNSCEAR議長への手紙（第3回） https://nimosaku.blog.ss-blog.jp/2023-12-15
12. UNSCEAR議長への手紙（第4回） https://nimosaku.blog.ss-blog.jp/2023-12-15-1
13. UNSCEAR議長への手紙（第5回） https://nimosaku.blog.ss-blog.jp/2023-12-16-1

5　小児甲状腺がん多発の原因は福島原発事故

大倉弘之

京都大学理学部卒、理学博士（阪大）、
京都工芸繊維大学名誉教授

迷走を続ける検討委員会

福島原発事故から13年目を迎えようとしている。事故時18歳以下の子どもたちに対して事故の半年後から行われてきた福島県の甲状腺検査は６巡目に入り、これまでに300を超える小児甲状腺がんが見つかった。県民健康調査検討委員会（以下「検討委員会」）では、事故後３年目までに全県を巡った１巡目検査で115例のがんが見つかり、「予想の数十倍」との異常を認めてその原因が原発事故である可能性に触れながらも、例えば、「地域差が認められない」とか、「チェルノブイリと現れ方が違う」とか、「過剰診断の可能性」などを挙げながら「放射線の影響とは考えにくい」としてその判断を避け続けている。それ

表１　福島県県民健康調査甲状腺検査結果（2023年5月31日現在）

	1巡目	2巡目	3巡目	4巡目	5巡目	25歳	30歳
対象者	367,637	381,237	336,667	294,228	252,908	129,007	22,626
受診者	300,472	270,552	217,922	183,410	113,852	11,781	1,524
受診率	81.7%	71%	64.7%	62.3%	45.0%	9.1%	6.7%
2次検査対象	2,294	2,230	1,502	1,394	1,299	635	126
2次検査受診	2,130	1,877	1,104	1,036	901	523	75
診断確定	2,091	1,834	1,068	1,016	812	500	58
細胞診	431	136	48	52	68	43	5
「悪性」	116	71	31	39	34	22	3
手術済	102	56	29	34	26	14	1
「悪性」率	38.61	26.24	14.23	21.26	29.86	186.74	196.85

らを含めて、事故原因を否定する明確な根拠はこれまで何一つ示されたことがない。

がん統計データとの累積数による比較

表１は、これまでに公表された甲状腺検査の結果である。ここで「25歳」、「30歳」というのは節目検査の対象年齢を表す。１巡目、２巡目……と続く検査を20歳を超えて（通常21または22歳時）受診したら、以降はこの５年毎の節目検査に移行することになっている。また、検査対象者は、２巡目で事故時の胎児（－１歳児）が加わり増え、その後は、節目検査への移行があるため毎回減っている。各検査では、過去にあった大人の甲状腺がんでの「過剰診断」を避けることにも配慮した一定のガイドラインに従い、エコー装置による１次検査で結節や嚢胞（液だまり）がない（Ａ１判定）か、あってもサイズが比較的小さい（それぞれ５mm以下、20mm以下）場合など低リスクと判断される場合（Ａ２判定）を経過観察に回して、２次検査（精密検査）対象者（B判定）を絞っている。さらに、この２次検査対象者からも低リスク判断により一定数は経過観察に回された後、必要に応じて細胞診を行った結果により「悪性または悪性疑い」というがん診断が下される。表１ではこれを単に「悪性」と記してある。この診断後にもさらなる精査の後に手術適用か経過観察の判断がされる。ここで手術適用とならなくてもがん診断が取り消される訳ではない（福島県の発表では手術後確定診断されたもののみ甲状腺がんとしているが、これまで、手術後良性であることが判明した例は１巡目の１例のみであり、本論考では、この１例を除いて「悪性」診断を甲状腺がんと数えている）。１巡目から５巡目までで計290人、さらに節目検査では計25人ががん診断を受けたことになる。

これらの診断結果を、まず、節目検査を除いて累積した結果と、全対象者が仮に国立がん研究センターの全国がん統計（2006～2010年平均）データ（年齢区分０－４、５－９、10-14、15-19、20-24、25-29、30-34、35-39、40-44歳の順に、毎年10万人当り0.00、0.03、0.11、0.85、2.24、3.46、5.39、6.72、9.92人）に基づいて診断数が累積するとした場合の仮想データと比べて、それがどの程度の多発であるのかを調べる。ここで、節目検査を除く福島の対象者は25歳未満に限られていることおよび、がん統計が臨床的なデータであることに鑑みて、比較対象の仮想集団でも一定年齢未満からの発生のみに制限する。具体的には、30歳未満に制限した累積数を比較対象とする。実際には節目検査を除く対象者の検査年齢が25歳未満と言っても、23～24歳での検査は例外的であり、残りの大部分は21歳または22歳での検査がほぼ同数ずつあると考えられるのに対して、仮想集団では30歳未満での発生を全て集計するので、スクリーニングによる早期発見効果を５～８年と想定していることになり、比較結果はかなり保守的なものであると考えられる。

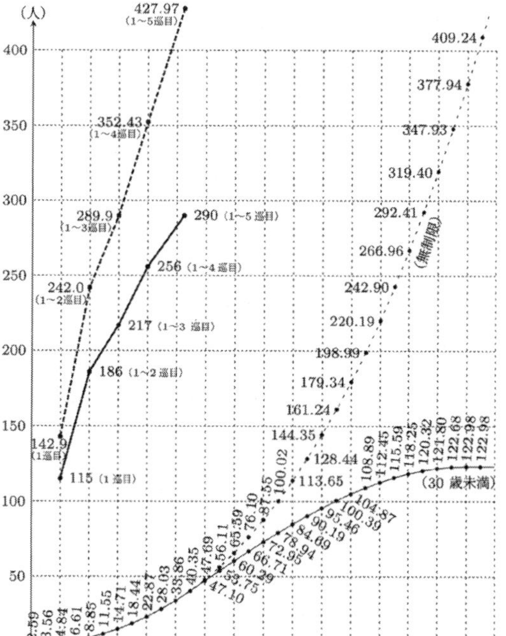

図１　全国がん統計（2006～2010年平均）に基づく全検査対象者（事故時-1～18歳）中の30歳未満の甲状腺がん推定数の事故後の推移および福島県甲状腺検査（節目検査を除く）結果（2023年５月31日公表）の累積発見数（太線）と受診率で補正した発見数の累積数（破線）

図１に比較の結果を示す。事故から26年目で福島の検査対象者は全て節目検査に移行するが、比較対象の仮想集団もその５年後以降対象者がいなくなり、がん発見数は頭打ちになる。この図より、30歳未満に制限した仮想集団の将来の推定診断数の最大値を２巡目の診断数がはるかに超えている。受診率による補正診断数では１巡目から超えていて、５巡目では３倍をはるかに超えている。その後の増加の勢いもこの年齢層としては異常である。事故後のこのような異常な多発の原因は原発事故以外には考えられない。

懸念される節目検査結果

さらに懸念されるのは、上で除いた節目検査である。表１によれば、受診率は共に１割未満で、「25歳」および「30歳」でそれぞれ受診者約１万人および約1,500人中の症例数22人および３人を10万人当たりにすると約187人および約197人と「悪性」率（有病率prevalenceで以下Pと記す）が非常に高い。この数値が何を意味するのか、ポアソン分布の区間推定を用いて考察する。

ポアソン分布というのは甲状腺がん発症のように極めて稀にしか起こらない事象が起こる回数が従う確率分布であり、分布の平均パラメータλだけで特徴づけられる分布である。λは分布の分散にも等しいことが知られている。「30歳」節目検査の場合、３件の発症の背後にあるポアソン分布のパラメータλに対する95%信頼区間は $0.619 \leqq \lambda \leqq 8.767$であることが知られている。これらの数値を受診者数1524人で割って10万人当りの人数に換算すると「悪性」率Pの95%信頼区間$40.6 \leqq P \leqq 575.3$（人）が得られる。同様にして「25歳」節目検査での「悪性」率の95%信頼区間は $117.0 \leqq P \leqq 282.7$（人）となる（$\lambda$の信頼区間は$13.8 \leqq \lambda \leqq 33.3$であり、これを受診者数11,781で割る）。これらの区間の下端は、表１で示す１～５巡目の「悪性」率のいずれと比べてもかなり高い水準であることがわかる。節目検査では、比較的受診者が少ない現段階でも異常な高率でがん診断が下されていることが確認できる。

実は、さらに表1からは、受診者中の2次検査対象となる率がそれまでの検査と比べて非常に高いこともわかる。元々年齢と共にリスクが上がっていくことを考えれば、節目検査の間隔が今の5年では長過ぎないか。また、定期的な検査の呼びかけは必要であるが、それに加えて、今後、県外転出者も増えることなどを考えれば、例えば、広島・長崎の被爆者手帳のような仕組みを導入することも含めて、全国各地で随時受診可能な医療体制を保障することは、喫緊の課題であると考える。

おわりに

「過剰診断論」に根拠がないことは、既にさまざまな形で明らかにされているが、福島県の甲状腺の診断と治療に直接当たってきた県立医大の甲状腺外科医鈴木眞一氏自身による報告は、本会の前年発行の小冊子に筆者が紹介したので、そちらもご参照いただければ幸いである。実は、この鈴木眞一氏が2023年12月の日本甲状腺学会で、自身が執刀した小児甲状腺がん患者217人の9.7%に当たる21例で再発が見つかったと報告した。本論考でも紹介したかなり積極的に経過観察に回す今の甲状腺検査のガイドラインは、元々「過剰診断」のエビデンスがない小児甲状腺がんに大人の場合の方針が準用されきたものである。これまでも、再発例が散発的には報じられてきたが、このようなまとまった報告は初めてであり、かなり小さながんでの再発も含むと言う。「過剰診断論」が子どもたちのリスクを高めることに繋がっていた可能性が示されたことになる。根拠のない「過剰診断論」に「検討委員会」は一刻も早く終止符を打ち、甲状腺がん多発の原因が原発事故であることを認めるべきである。

第Ⅱ部　福島の声、避難者の声

1　避難指示解除が進む地域の現状
――マスメディアでは報道されない高放射線量が続いている

飛田晋秀

1947年生まれ。福島県田村郡三春町在住。職人を専門とする写真家。3.11後、福島の「事故を風化させない」との思いから撮り続けている。写真集『三春の職人』（朝日新聞出版、1999年。国立国会図書館、民族学として永久保存）、『福島の記憶――3.11で止まった町』（旬報社、2019年）。

原発事故から13年が過ぎて事故は終わったかのように政府・福島県・市町村が復興を宣言している。避難指示解除になった地域では帰還することができるが、現実の放射線量のことは2018年頃から報道されなくなってきている。以前の放射線量と最近の放射線量がどのようになっているかデータで見る。年間 1 mSvは1,000 μSv/（24×365）時間=0.114 μSv/hに相当する。

①　原発事故以来、立入りが制限されたため桜の名所などの撮影ができなくなってしまっていた。放射能に冒されてしまったことにたまらない気持ち、申し訳ない気持ちの整理ができなかった。

避難者の方から是非夜ノ森の桜を撮って欲しいと言われ、2015年春

帰還困難区域の現状を記録しようと撮影に入ったが、涙を流しながら撮った。避難者の方によれば、ここは放射線量が高く、桜を伐採する話も出ていたという。警備員がここは5回から6回位除染したと言っていた。（富岡町2015.4.7撮影）

②　5～6回も除染してもゲート前での放射線量は毎時0.8μSv/hもある。ゲートの先は帰還困難区域、その先は許可証が無ければ通行できない。セシウム134は半減期2年であるので4年間で4分の1ほど減るわけだが、セシウム137は半減期30年なので4年すぎるとセシウム134と137をあわせた放射能はあまり減らなくなっていく。（原発事故前の放射線量は0.03～0.07μSv/h）（富岡町2015.4.7撮影）

③　帰還困難区域よりも手前50mの所で線量が1年前よりも高くなっている。1.01μSv/hもある。（富岡町2016.4.10撮影）

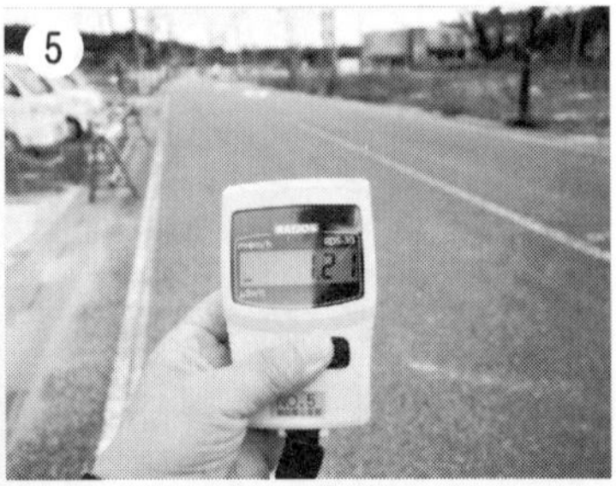

④　事故から４年たっても、帰還困難区域は避難している人が申請許可証をもらわなければ被災地には入ることができなかった。大野駅前商店街は5.28μSv/hもある。原発事故さえなかったら戻って復旧できたが人が住める状態ではない「安全神話」に騙されてしまった。（大熊町2015.4.25撮影）

⑤　今はどうか。前回撮影から７年が過ぎて写真④の商店街は解体されたが線量は1.21μSv/hもある。大野駅西商業施設整備事業を2024年度冬開業を目標として工事が進められている。このような線量が高い所なのに事業をすることには疑問だ。（大熊町2022.10.14撮影）

⑥　定点観測をするために空間線量と土壌の測定をしている。解体が始まった2019年12月にはなかったバリケードがおかれたため、出入りができなくなったが道路だけは帰還困難区域が解除された。（大熊町2020.3.14撮影）

⑦　２年の間に家屋が解体された。お正月などの長期の休みは作業員

や警備員がいないため放射線量や土壌の採取ができる。警備員がいると騒がれる。そのために長期の休みに行くようにしている。解体された家屋の下にクーラーーボックスを置いた所の線量と土壌を測定した。（大熊町2022.1.2撮影）

⑧　避難指示が解除されたが⑦の所の放射線量は10.9μSv/hもあり、環境省や県や大熊町役場は知っているのか恐ろしくなってくる。（大熊町2020.7.10撮影）

⑨　前回と同じ場所を測定したら５ヶ月後に測定14.20μSv/hと高くなっている。政府をはじめ口を揃えて「放射線量が下がっているから大丈夫です」という。何処を見て言っているのか。現地に来てみろと言いたい。このようなことはマスコミでも報道されていない。（大熊町2020.12.19撮影）

⑩　３回目、同じ場所で２年後の測定結果6.56μSv/hと前回よりもさがっても半分。これでもまだまだ高い数字、現場で働く労働者の被ばくが心配 。放射線のことを言われていない住民の方たちは知らされていないのではないか。（大熊町2022.1.2撮影）

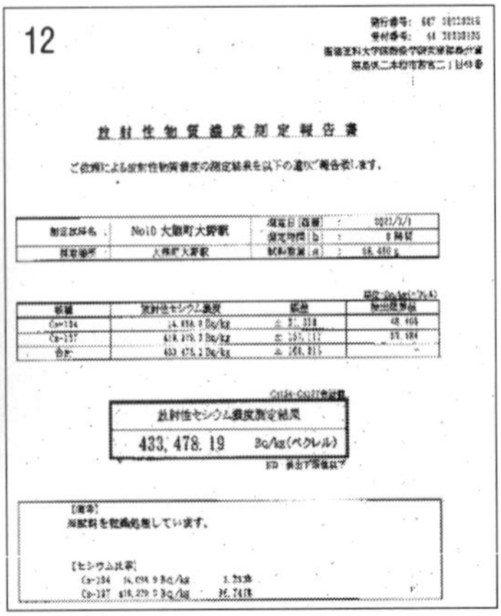
12

放射性物質濃度測定報告書

	No10 大熊町大野駅		2022/3/1

放射性セシウム濃度測定結果

433, 478. 19 Bq/kg(ベクレル)

⑪　⑩の場所の土壌を採取して測定を獨協医科大学国際疫学研究室福島分室で測定をしてもらった。円柱 8 cm× 5 cm。(大熊町2022.1.2撮影)

⑫　測定の結果。Cs-134.　14,098Bq/kg
　　Cs-137.　433,478Bq/kg　計447,576Bq/kg

除染して建物を解体した土地の土壌が、このようなとてつもなく汚染されている所に商業施設を建設することは驚きである。環境省は空間線量が下がればいい、土壌は関係ないと言っている。土壌に残る汚染を調査するべきではないか。(大熊町2020.7.10)

⑬　大野駅西口にあるモリタリングポストの放射線量は0.218 μ Sv/hだが、同じ場所ではかつても0.41 μ Sv/hと高く、モリタリングポストを設置する時に一番放射線の高い所の土を削り基礎をコンクリートで固めてあるため数値が低くなる。ところによっては、周囲よりも 6 割位低くでる所もある。(大熊町2023.1.13)

⑭　大熊町災害公営住宅は、空間放射線量0.07～0.17 μ Sv/h、2023年11月 1 日 現 在9963人 に対して戻っている人は603人。多くが高齢者、町内移住者数人

口　※町に住民登録がない居住者を含めた推計人数　1112人（大熊町2023.1.13撮影）

⑮　災害公営住宅からわずか約1.5km離れた場所は除染しても1.08μSv/hもある。放射性物質を含むチリやホコリが、地面から風にあおられれば、災害公営住宅に流れてくるのではないか。（大熊町2023.1.13撮影）

⑯　大熊町立学び舎「ゆめの森」新校舎は、役場の東側約500mに立地し、総事業費約56億3400万円。校舎には、約５万冊の図書が収蔵可能な吹き抜けホール。2023年度の子どもの数は、園児８名、児童生徒18名、計26名。新校舎の玄関前の放射線量は0.2μSv/hもある。放射線のことは知らされていないのではないか。（大熊町2023.11.5撮影）

⑰　グラウンドは人工芝ナイター照明設備まであり、いたりつくせりだが、放射線量は0.22μSv/hもある。このようなところで体育の授業をさせるのか。線量のことは子どもたちに伝えているのだろうか。（大熊町2023.11.5撮影）

⑱　グラウンドから約20mの所で1.53μSv/hもあり校舎もグラウンドも線量が高くなるのではないか、子どもたちの被ばくが心配でならない。(大熊町2023.11.5撮影)

⑲　南相馬市内でも、ここの場所は放射線量が高いと聞いていたが、なんと92μSv/hもあり驚いた、原発事故から4年が過ぎてもこの線量が高い所を解除し帰還をうながしていることに怒りがわいてくる。(南相馬市2015.5.19撮影)

⑳　線量が高い所から20m離れたところでのモミの木が多い所。周りの葉に異常が出ていたがこの葉は正常。2016年に撮影をした。(南相馬市2016.5.19撮影)

㉑　モミの木の葉異常。帰還区域内で、モミの木の育成異常が増加していることが、環境省の調査でわかったとのニュースがあった（インターネットメディアのHUFFPOSTが報じていた)。2015年８月28日

に放射線医学総合研究所（放医研）が発表、最も空間線量が高い地域では、98%に異常がみつかったという。このようなことがありながらどれだけ伝えられたのか、もっと大きく報道されるべきではなかったのか。（南相馬市2016.5.19撮影）

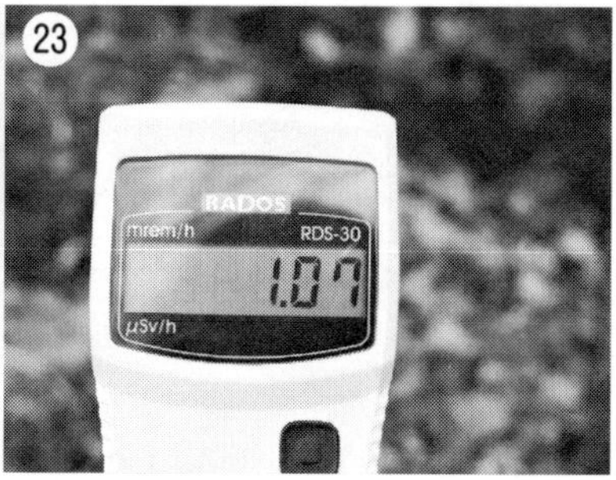

㉒　避難解除された2022年６月12日に、30世帯80人のうち帰還したのは１世帯１人だけ。その１人も週の半分を避難先ですごしている。帰還した住宅玄関脇の放射線量は、0.56μSv/hもある。長期の避難や困難区域の厳しい現実である。（葛尾村2023.1.18撮影）

㉓　住宅の裏側は1.07μSv/hと高くなってくる。どこの地区も放射線は高くても解除されている。これで復興している。解除後の線量はまったく報じられない。（葛尾村2023.1.18撮影）

本書では初期被ばくが主要原因だと考えられる小児・若年性甲状腺がんの多発がくわしく解説されている。事故後も高線量が続いているエリアでは、初期被ばくも深刻であったに違いない。帰還政策は、初期被ばくを浴びた住民に追加被ばくを継続させている。

原発事故は終わったかのように報じられてもいるが、これから大変なことが起こってくると思われる。今後も被災地の撮影を続け、避難者の方たちのことを伝えていきたい。

2　福島第一原子力発電所爆発事故による低線量被ばくリスクの体現

福島敦子

2011年３月12日 福島原発事故から避難する。川俣町、福島市へと避難し、翌４月２日に娘２人と京都府木津川市へ避難。現在は避難者住宅追い出し問題を経て京田辺市へ再避難。６月より、原発事故からの避難者として、講演会などで語り部を開始する。現在、大飯原発差止京都訴訟世話人、原発賠償京都訴訟共同代表を務める。

はじめに

2011年３月11日から始まった福島第一原子力発電所の爆発事故は、人々の頭上に炉心内の放射性物質を撒き散らしました。そしてさまざまな疾病のトリガーとなっています。

この事故はむしろ、国と大企業である東京電力が共同で仕組んだ「原発爆発事件」であり、いまだに収束する見通しはなく、廃炉作業もほとんど進んでいません。せっかく除染で集めた土を掘り返し再利用したり、放射性物質がたくさん含まれた汚染土壌の拡散と汚染水の海洋投棄を繰り返しています。福島県や近隣都県の人々は正しい情報を手に入れることも困難で、拡散し放題の放射性物質の舞う環境下、正当に補償された区域はほぼないまま現在も、日常の生活を強いられています。

筆者（左）

放射性物質の拡散による被ばくから逃れるために避難した人々へは、「避難者は自立することが必要」という見当違いの理由で「避難者用住宅の無償提供」を打ち切り住宅を奪い、出ていけない避難者へは裁判をしています。また、大熊町など高く汚染されている地域の住民でさえも税制優遇措置撤廃や医療費補助の段階的な打ち切りなどで生活基盤はもとより心身ともに追い込みをかけています。

私たち家族３人の避難

さて私は、2011年３月12日を境に、福島県南相馬市から現在は京都府京田辺市へと居を転々としながら避難を継続しています。しかしながら、原発事故による低線量被ばくの心身への影響を考えずにはいられない状況です。

健康被害を考える基礎となっているのは、健康被害の詳細をまとめている京都「被爆２世・３世の会」の話や資料です。両親や祖父母が広島県や長崎県に落とされた原爆による被爆者であり、自らの健康や暮らしを守るとともに、二度とあのような惨劇が起こらないように、核兵器をなくし平和な世界を実現するために活動している団体である。京都「被爆２世・３世の会」がまとめた内容にはたとえば、幼児の頃から大量の鼻血をよく出していた、幼い頃は乗り物酔いがひどかった、普段は元気でも運動した後はすごい湿疹が出ていた、疲れると甲状腺が腫れる、若い頃は結婚も出産も諦めていた、兄弟がいたけれども死産だった、生爪がはがれたなどの話があります。

鼻血は、2011年３月中旬にいた福島市の避難所でも私を含め同時に３名が鼻血を出していました。４月に京都府へ再避難した後も、入浴中に何の痛みもなく両足小指の生爪がはがれたことがあり、資料にふれその時を思い出した瞬間もありました。二人の娘は、避難してすぐ視力が著しく低下し眼鏡が必要となりました。上の娘のアトピー性皮膚炎がより深刻になりました。親子で虫歯が進行しました。

こうした話を聴く体験や、オンラインを含む学習会で健康被害の実態や疫学での考察、世界の原発事故について学ぶことをとおして、この原発爆発事件による被害者の健康被害の状況の把握・収集とそれを補償、施策の策定を円滑に進めること、被害の収束はもちろん、私のような「被ばく者」が二度と出ないようにすること、「被ばく者」が安定して暮らせる未来につなげなければならないと心から思います。

裁判で証言

原発爆発事件から約13年を経た私の健康状態について、昨年末の第20回原発賠償京都訴訟期日の本人尋問内で裁判長に訴える機会がありました。心身の不調をつまびらかにすることは、勇気と並々ならぬ覚悟がいるものです。それでも、それが勝訴につながり、「原発爆発事件がなかったこと」にされないようにデータが積み重なり、一人一人の気づきになり、みなさんの健康留意につながっていく政策の転換ができるのであれば幸いです。

私たち家族の健康状態の経過

■2011年

3月13日から4月1日まで

避難所（福島市飯坂町）では、出かけるときは筆者、娘二人は使い捨てマスクを着用し、帽子をかぶった

筆者の主な避難所での自覚症状　常時酔うような感覚、15日に鼻血が出る、軟便が続く

上の娘　15日にうがい薬を安定ヨウ素剤の代わりにキャップ1杯飲む　中旬ごろに1週間ほど首が回らなくなる（寝違えたような症状　湿布で対処）

初夏ごろ　上の娘　（県民健康管理調査「こころの健康度・生活習慣に関する調査」）夢遊病が激しく、京都南部にある児童相談所に数回通いアドバイスを受けた

■2012年

2月　二人の娘　（地元医院検査）

ALP値　基準値より2倍以上の高値、白血球分類　好中球基準値以下、リンパ球　基準値超（下娘のみ）、異形リンパ球　基準値超（下娘のみ）

筆者　（二人の娘と同時　地元医院検査）

γG値、TTT値、ZTT値　基準値超、ヘモグロビン量、ヘマトクリット値、MCV値、MCH値、MCHC値　基準値以下、白血球分類　好中球　基準値以下、異形リンパ球　基準値超

3月　二人の娘　（県民健康管理調査「小児健康診査」）

白血球分類　好中球　基準値以下、好酸球　基準値超（上娘）、好酸球　基準値以下（下娘）、リンパ球　基準値超

12月　二人の娘　（県民健康管理調査「小児健康診査」）

HbF値　基準値超（上娘のみ）、好中球　基準値以下（下娘のみ）、リンパ球　基準値超（下娘のみ）

筆者　（県民健康管理調査「健診」）

血色素量、ヘマトクリット値　基準値以下

■2013年

初夏　筆者　朝、車運転中に睡魔に襲われ対向車に接触事故。けがなし

10月　筆者　憩室炎により9日間の入院。貧血も治療

12月　二人の娘と筆者　（福島県）内部被ばくWBC検査結果は預託実効線量　1mSv未満

体表面検査　体表面汚染なし、全身検査　立位型WBC　120秒測定　Cs-134　測定されず（検出限界　150Bq）、Cs-137　測定されず（検出限界　170Bq）

■2014年

5月　下の娘　まぶたを中心に顔が腫れる。アレルギーの検査をするも原因不明

■2015年

8月　二人の娘　(県民健康調査甲状腺検査)　Ａ２判定

■2016年

2月　筆者　子宮筋腫による腹式単純子宮全摘手術で約２週間の入院（2010年に子宮筋腫のため筋腫のレーザーによる摘出手術を受けている）

■2017年

1月　二人の娘　(県民健康調査甲状腺検査)　Ａ２判定

9月　二人の娘　(県民健康調査甲状腺検査確認のため地元病院検査)　Ａ２判定、好酸球　基準値超（上娘）

筆者　(地元病院検査）結節様所見あり

■2019年

4月　二人の娘　(県民健康調査甲状腺検査確認のため地元病院検査)　Ａ２判定

筆者　(地元病院検査）結節あり　現在は様子見

■2020年

1月　上の娘　(県民健康調査甲状腺検査)　Ａ２判定

6月　下の娘　(県民健康調査甲状腺検査)　Ａ２判定

6月　筆者　帯状疱疹による顔面麻痺　現在も完治していない

8月　筆者　こころのストレス反応多い　(県民健康調査「こころの健康度・生活習慣に関する調査」)

下の娘　こころのストレス反応多い（県民健康調査「こころの健康度・生活習慣に関する調査」)

■2022年

2月　筆者　円蓋部髄膜腫による20日間の入院

3　被ばくによる健康被害と向きあって

るる　福島県からの避難者

私は、福島県からの避難者だ。

いわゆる、自主避難者であり、避難指示区域外からの避難者である。

東京電力福島第一原子力発電所の一号機の建屋が爆発している映像は頭にこびりついて、この13年間一日たりとも思い返さなかった日はない。当時未成年であった私は、放射線についての専門的な知識はなかったが、ただの工場が爆発しているのではないのだと思った。目には見えないからこそ恐ろしいと感じ、「遠くに避難をしてほしい」と家族に訴え、家族は私たち子どもを守るために、2011年３月末に私たち福島のまちをあとにした。

福島県から避難をしても、放射線に対する私の恐怖は消えなかった。フクシマに関する報道を、避難先から戦々恐々と見つめていたし、「自分が地元で体験したことは何だったのか」ということを知りたくて、放射線についても調べるようになった。そうすると、「生命体が放射線に被曝した場合にはDNAを含め多数の分子の結合が破壊され、破壊の程度が激しければ、その細胞や組織は生き延びることができないし、破壊の程度が低ければDNAに傷を負ったままの細胞が生き延び、やがて癌などを引き起こすことになる。こうして、放射線は生命体が依拠している物質とはかけ離れたエネルギーを持っているために、生命体に対して著しい危険を及ぼす」[1]と知った。

健康のためには、被ばくということはなるべく避けた方が良く、フクシマでの核災害までは、科学の蓄積の歴史においてもそれが到達点であったのだ。それにもかかわらず、福島第一原子力発電所事故以降、ごくわずかな範囲内に決められた人々にしか避難の権利は認められず、私たち家族のように、「被ばくをさせられる状況に我慢ができない」と思った人間は、自力で避難するしかなかった。

私は福島県民健康調査という検査の対象となっている。

そもそも、このような検査を受けなければならない事態に見舞われたということそのものが不条理だと私は思うが、やはり自分が体験したことの実態を把握するという意味でも、嫌な検査を受け続けなければならないのだと思う。たとえ無料で受けられる体制がなくなったとしても、受診していかねばならないものだと、検査が苦痛で数年間検査に行けなかった時期を経て、現在の私は考えている。

痛い検査でもないのにある時期、私が甲状腺検査に行くことが出来なくなってしまったことの理由の一つには、「本当に異常が見つかってしまった時に、安心して相談できる人がいない」ということがあった。

当時の友人たちの中で、放射線がこわいから家族に避難を訴えたという人間は私の周りにはおらず、私は地元の同世代の友達とも、放射線の不安について気軽に話したことがない。

福島第一原子力発電所事故以降、各地での避難者訴訟や「311子ども甲状腺がん裁判」などの様々な訴訟が立ち上がったが、それらの訴訟体においてさえも、「被ばく被害」という根本的なところで、当事者同士が連携・連帯がとれていない。さらには、汚染水の海洋放出を掲げる知事を選択してしまった福島県民の間では、「被ばく」という言葉はタブーなのである。

福島で原発事故が起きる前から、これまでの放射線の歴史に基づいて研究者たちは警告を出してきた。「「汚染がある」ことと「汚染を見つけられない」こととは、もちろん違うことである。その上、汚染を見つけられないような測定しかしないまま、汚染はないなどと主張してはならない」と[2]。

福島に残された人々が生活をしているその場所の、「被ばく被害」

の実相は入念に隠されていること。それに目を向けることはいかに苦しく、終わらない核の災害にいつまで苦しめば良いのかと葛藤することになったとしても、それこそが放射能の被害なのであり、そうなってしまうような社会を選択してきたのはこれまでの人間たち。汚染水の放出で、福島県民は地球中の生命体の未来に対する加害の責任者ともなった。「被ばく被害」を、たった７名の、病を抱える当時の子どもたちに背負わせている現状に、どうして落ち着いていることができるのだろうか[3]。

今年もまた、「３月11日」という日が近づくと、悪夢にうなされた。

その夢の中では、決まって私はどこかの海岸にいて、その海岸には何かの工場がある。その工場の入り口付近で津波にのまれるという夢であることが多い。夢というのは、どれほど恐ろしい内容であったとしても、すぐに忘れてしまうことが多い。しかし、「３月11日」付近に毎年私がうなされる夢はいつも鮮明で、気分も落ち込み、心療内科を受診してみたところ、原発事故による心の傷との診察内容だったこともある。

終わらない核の被害に向き合い続けるのはとても苦しいことではあるが、フクシマの人々が今不安だと思うこと、助けてほしいと思っていることをそのままに声にしてみることが、希望ある社会への希望でもあると私は信じている。

注

1．小出裕章「人形峠鉱滓放置問題　榎本さん土地明け渡し訴訟への意見書〈2003年春提出〉」 https://www.rri.kyoto-u.ac.jp/NSRG/genpatuindex.html（2023年12月31日取得）

2．１と同じ。

3．「311子ども甲状腺がん裁判」の原告７名。

参考文献

小出裕章「人形峠鉱滓放置問題　榎本さん土地明け渡し訴訟への意見書＜2003年春提出＞」https://www.rri.kyoto-u.ac.jp/NSRG/genpatuindex.html

第Ⅲ部　放射線被ばくを避けることは基本的人権である

1　ICRP Publication 146批判

山田耕作

1942年兵庫県小野市生まれ、専門は理論物理学、京大名誉教授

大規模原子力事故における人と環境の放射線防護
ICRP Publication 146 ── ICRP Publication 109 と111 の改訂 ──
https://www.icrp.org/docs/P146_Japanese_Final.pdf

1．はじめに

1986年のチェルノブイリ原発事故から10年経った1996年、IAEA（国際原子力機関）は事故を総括し、放射性物質による汚染地からの移住の権利を保証したことを失敗と認め、事故後、住民を汚染地から避難させず、汚染地に住み続けさせる方針に転換した[1]。その方針をICRPは2007年勧告に明記し、日本政府は2011年の福島原発事故に適用した。それを整理し、体系化したものがPublication 146である。

したがって、このICRP新文書（2020年公表、2022年日本語訳公表）

は、原発の大規模事故により大量の放射性物質が放出された場合の放射線防護の方法を勧告したものである。放射性物質による汚染地の住民をできる限り避難することなく、汚染地に住まわせるための放射線防護策を検討している。健康と生命の安全を考えれば、汚染地から避難して遠く離れて、被ばくを避けることが最善であることは議論の余地がない。それ故、ICRP新勧告は、被ばくから生命と健康を守るという人権に基づく被ばく防護の原則に真っ向から反する方策を提案していることになる。これは放射線からの防護というICRPの存在意義そのものを否定しかねないものである。

新文書は福島原発事故に対するICRP 2007年勧告等を法令にとりいれる審議すらしないまま日本政府が非公式に適用する中で取りまとめられた。福島原発事故に対する国・福島県などの『当局』の現実の対応を参考にしながら検討する。

2．ICRP勧告の基本的問題点

理解を容易にするために最初にICRP勧告の２つの基本的問題点を挙げておく。

①　人権を無視している

人間の本質は個人ではなく、人類としての類的存在にある。人間は人類として協力して文明を歴史的に発展させてきた。ここに他の動物と異なる人類の本質がある。その類的存在の基本原則は人類の構成員である個人個人の間の平等の原則であり、互いに人間として尊重される。これ以外に類的存在である人間の社会を理性的に有機的に機能させる原理はあり得ない。平等を基礎とする基本的人権に基づく民主主義は人類そのものの進歩を保証する原則なのである。人類は協力し、歴史的に継承して自然と社会を理解し、制御する科学を発展させてきた。それ故、人類の進歩は平等を基本とする民主主義の拡大と科学の進歩によって担われる。その際、人権・民主主義は最も重要な根本原則であり、全てに優先する。当然、科学に対しても人権が優先する。つまり、科学といえども人権を侵害することは許されない。原子力事故に際しても人権の尊重が最優先であることは当然の原則である。ところがICRP勧告には人権を侵害する勧告が多々見られる。

②　被ばくに対する科学性の欠如

ICRPは内部被ばくの評価において、放射線の吸収エネルギーのみを評価し、それ以外の電離作用などを一切無視している。内部被ばくは局所的・集中的・継続的であり、電離作用が重要である。さらに放射線に応答する人体における実体は臓器であり、細胞であり、分子である。生体は免疫作用、ホルモン作用、神経作用などを介して有機的に結合して活動している。ところがICRPの理論にはこれらの具体的な実体が考察されていない。これでは内部被ばくの科学的な評価は不可能である。ICRPの被ばく評価体系においては、内部被ばくに対する科学性が決定的に欠如しており致命的である[1,2]。

その為、新勧告の被ばく評価は内部被ばくの作用の多くを無視しており、ICRPの参考レベルなどの被ばくの議論は被ばくによる被害を著しく過小評価していることになる。

以下、引用はPublication 146からであり、丸括弧内にその頁数を記す。項目が分りやすいときは項目番号を記す。

3．避難させず、汚染地に留めるICRP

> 抄録から
> 緊急時被ばく状況と現存被ばく状況では、人と環境に対する放射線の

> 影響の緩和は、決定の正当化と防護の最適化という基本原則を用いて達成される。
> 防護措置の実施は、放射線の要因を考慮するだけでなく、健康を守り、被災した人々の持続可能な生活環境を確保し、対応者の適切な作業環境を確保し、環境の質を維持するために、社会、環境および経済の側面も考慮しなければならない。(p.10)

防護措置の実施は放射線被ばくを考慮すれば、汚染地から避難することが最善である。避難しないで健康を守り、持続可能な生活環境を維持することは極めて困難である。

現在、福島原発事故で採用されているのは年間外部被ばく20mSv以下の汚染地に住まわせ、子どもたちの教育を行なうという政策である。住民は生活のためにその汚染地で農業・畜産などの仕事に従事しなければならない。その結果、労働を通じて被ばくすることに加えて、汚染地での生産物を介して日本全体、世界が内部被ばくの危険に曝されている。避難が最善であることを知りながら、被曝地に留め、住民

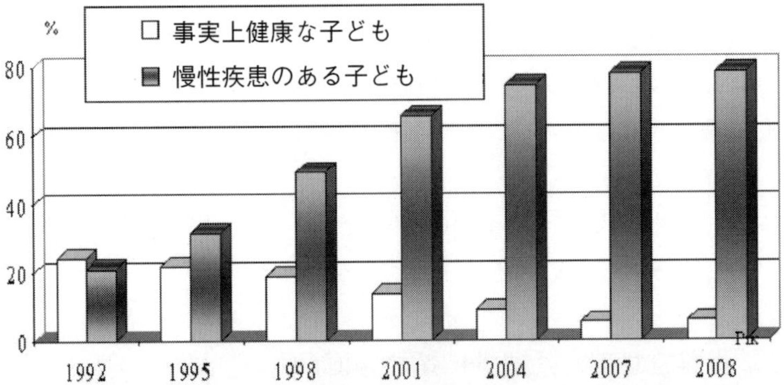

図1　被ばくした親から生まれたウクライナの低汚染地における健康な子どもと慢性疾患のある子どもの割合（ウクライナ政府報告書）[3]
被曝した親から生まれ慢性疾患のある子どもと健康な子どもの比重の事故後の期間における変動（“ウクライナ医学アカデミー放射線医学研究センター”のデータ）

・子どもの健康を破壊し、命の危険に曝している。これは生命の安全という最も基本的な人権の侵害である。

特に危険なのはセシウム137などの放射性微粒子がミクロンからナノ（10^{-6}m ～10^{-9}m）のサイズで大気中を浮遊し、呼吸によって気管・肺から、食品の摂取を通じて体内に取り込まれることである。

チェルノブイリ法では、年間外部被ばく３mSvに内部被ばく２mSvを加えて５mSv以上の汚染地では居住が許されない。移住の義務がある。１mSv以上では移住の権利が認められている。それでも、チェルノブイリでは低汚染地域の子どもの約７から８割が慢性疾患であるという報告がある。（ウクライナ政府報告）[3]

> 我々は３つの放射線防護原則、すなわち正当化、防護の最適化、個人の線量制限を用いる。これにより、便益が害を上回り、防護がその状況下において最善となり、不当な線量がいずれの個人にも及ぼされないことを確実にする。要するに、ICRP の目的は、あらゆる状況において、電離放射線が関与する場合には、人と環境が防護されることを確実にすることである。（p.17）

人と環境が防護されるのは経済性も考慮した最適化を前提としているのがICRPの原則である。「正当化、防護の最適化、個人の線量制限を用いる。これにより、便益が害を上回り、防護がその状況下において最善となり、不当な線量がいずれの個人にも及されないことを確実にする」

「便益が害を上回る」とは、資本主義社会では極めて合理的な判断である。しかし、ここで議論されているのは人間の健康と生命である。害である被ばくの低減費用が、原発による経済的利益を上回ると被ばく防護の低減措置を採らないことが最適だとなる。ICRPによれば、経済的に不利益であれば被ばく線量の制限を緩和するのが合理的なのである。避難して移住の費用をかけるより、住民を汚染地にとどめ被ばくさせる方が経済的であり、社会的費用の節約になる。これは核を推進する立場の論理である。結局、個々人の健康・生命・生活は守られない。ICRP勧告に反して「不当な線量がいずれの個人にも及される」のである。ICRPは原発を推進する立場であるので、住民が被ばくしても「不当な被ばく」でなく「正当で適切な被ばく」と考えているのである。

なぜICRPは倫理的な中心的原理として、人命の尊重、基本的人権の尊重を言わないのだろうか。原子力・核兵器の利用者の政治的・経済的利益を守るためではないか。

電力会社は原発によって発電し、電力料金として利益を得ている。しかし、一方、住民である個人は経済性のない原発による割高の電気料金を支払い、その上、処理・保管の困難な放射性廃棄物が蓄積される。こうして、死の灰や放射性廃棄物で未来世代にまで負担を残す。原発に『経済性』はないのである。原発の運転は社会全体で見れば高い電力料金となり、大きな経済的損失である。原発の運転継続は『リスク-ベネフィット』論のベネフィットを主張できなくなっている。ICRPは原発の廃棄を勧告すべきである。

X線検査でがんを検査する時は被曝する人とがんを検査される人は同一である。原発の大事故では原発の運転で利益を得たのは東京電力である。被ばくのリスクを受けたのは高い電気料金を払い続けた住民である。加害者東電が利益を得、被害者住民が損失を受けるのである。加害者、被害者に分離・対立した2者の間ではリスク·ベネフィット論は成立しない。むしろ、バランスがなく、不当な差があるから加害者は、被害者に一方的に自らの加害を補償すべきなのである。予知不可能な自然災害と言うことはできない。住民の必死の反対の声を金と権力で踏みにじり、地震国に無謀な原発を建設したのは国であり、電力である。

> しかしながら、我々は今後の事故に備えなければならない。これは、我々の仕事の重要な部分であり、原子力だけでなく、たとえば、医療における放射線の使用にも関連している。(p.17)

このようにICRPは今後の原発事故を前提としているのである。原発事故において、老人・子ども、病人など社会的弱者は避難ができない。それを介護し、治療し、教育する人たちも避難することが困難である。現実の社会では、避難できない社会的弱者が存在することは避けられない。必然的に存在する社会的弱者が、避難できないような事故の可能性のある原発の運転は、人々が平和で安全に生活する権利を侵害するものである。それ故、原発の存在自体が人権を尊重する社会では許されない。このことこそICRPは被ばく防護のために主張すべきである。自然災害発生の防止は困難だとしても、原発は人間が廃棄すれば良いのである。

> (d)　緊急時および現存被ばく状況において、放射線防護の目的は、正当化と最適化の基本原則を用いて達成される。正当化の原則は、防護措置の実施に関する決定が重大な混乱を引き起こす可能性があるので、被災した人々や環境に利益をもたらすことを保証するものとなる。参考レベルを用いて適用される防護の最適化の原則は、個人の被ばくの分布における不公平さを制限し、社会、環境および経済の要因を考慮に入れて、すべての被ばくを合理的に達成可能な限り低く維持または低減させることを目的としている。(p.24)

「放射線防護の目的は、正当化と最適化の基本原理を用いて達成される」という。「放射線防護を達成する」ことなどできない。達成するには避難しかない。「正当化」や「最適化」は汚染地に滞在し、住まわせるための一つの方法・言い逃れに過ぎない。汚染地に住み、働き、生活していくことは、『正当化』『最適化』によって被ばくを軽減しようと必死に努力することである。混乱を減らし、「適切に」被ばくしたとしても「被災した人々や環境に利益をもたらすことを保証する」とはよく言えたものである。SPEEDIの情報も出さず、人々は逃げる方向も分らなかった。「経済性」の名の下に狭い地域を不十分にしか除染されていない。広い山林や農地を除染して安全にすることは不可能である。廃炉処理は全く進展せず、地下水はデブリに流れ、汚染水となる。放射性プルームの放出も止まっていない。放射線に対する感受性には個人差がある。なぜ避難の権利と自由を保障しないのか。

４．内部被ばくの脅威

重要なことは最初に述べたようにICRPの被ばく体系では肝心の内部被ばくが正しく考慮されていないのである。現実には「黒い雨裁判」に見られるように、放射性微粒子による内部被ばくが危険なのである。ところがICRPの被ばく体系は放射性元素の均一な分布を仮定しており、実態に合わない。それ故、チェルノブイリ事故で重要であった「長寿命放射性元素取り込み症候群」などの健康破壊が全く考慮されていないのである[6-8]。

次の図は伊方原発広島裁判のパンフレット「『黒い雨』広島高裁判決から私たちが学ぶもの」からの引用である。内部に取り込まれた放射性元素はICRPが仮定しているように体内や臓器に一様均一に分布して存在するわけではない。むしろ、不均一に偏在し、局所的･集中的に継続して放射線を発する。

カリウムチャネル

人間の体内には約4,000Bq（ベクレル）の自然放射性元素カリウム

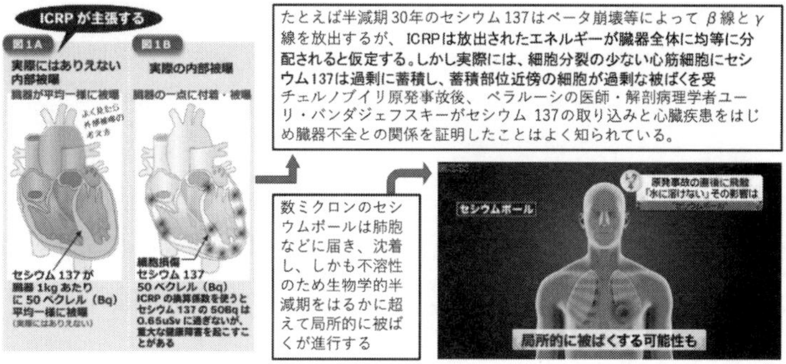

ICRPの内部被曝の捉え方と実際の内部被曝のちがい（伊方原発広島裁判パンフレット「『黒い雨』広島高裁判決から私たちが学ぶもの」より）

『原発事故７年"謎の放射性粒子"徐々に判明』2018年3月6日 日テレNews24より http://www.news24.jp/articles/2018/03/06/07387331.html

図２　ICRPの想定する内部被ばくの想定と実際の内部被ばくの違い

40がほぼ均一に存在する。これは年間0.18mSvの被曝とされている。これとベクレル数を比較してセシウム137などの内部被ばくも無視できるほど小さいとされる。しかし、カリウム40と違いセシウム137のような人工の放射性元素は偏在して蓄積する。これは局所的・集中的・継続的な被ばくを与え格段に危険である。日本政府・厚労省はこのカリウム40のベクレル数と比較して食品の安全を論じるが重大な誤りで、意図的な誤魔化しである。遺伝学者市川定夫氏は繰り返し批判・警告された。

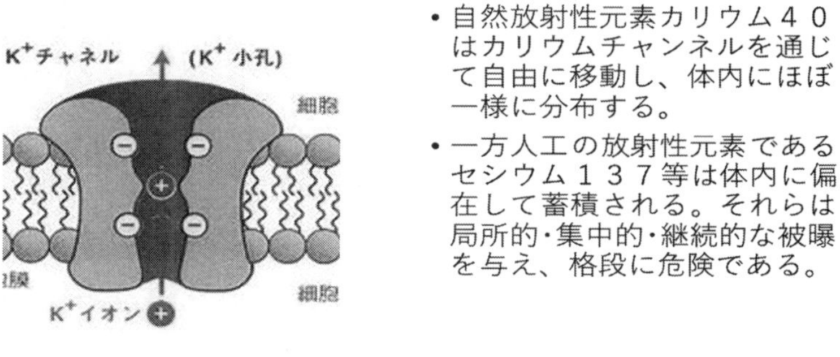

図３　カリウム40による内部被ばくを軽減するカリウムイオンチャネルの重要性

> (22)　放射線被ばくが被ばくした集団のがん発生確率を増加させることを示す信頼できる科学的根拠がある。低線量および低線量率の放射線被ばくに伴う健康影響については大きな不確かさが残されているが、特に大規模な研究から、100mSvを下回る線量－リスク関係の疫学的証拠が増えてきている。現在、入手可能なデータの多くは、直線しきい値なしモデルを広く支持している（NCRP, 2018a; Shore, 2018）。(p.32)

以上のようにICRPのしきい値なしの直線被ばくモデルに従って、被ばくを可能な限り下げるべきである。年間20mSvの外部被ばくを許して居住を認めることは被ばくによる健康と生命の危険があり、人権侵害である。

ペトカウ効果と長寿命放射性元素取り込み症候群

外部被曝に加えてさらに無視されている内部被ばくの危険性も考慮するのは当然であり、チェルノブイリでも多くの内部被ばくによる疾患の報告がある。特に、「長寿命放射性元素取り込み症候群」は内部被ばくの危険性として重要である。セシウム137などが体内に取り込まれ、局所的・集中的・継続的な被ばくを与える。体内の放射線は電離作用で活性酸素やフリーラデイカルを発生し、脂肪膜である細胞膜を連鎖的に破壊する。こうして、心臓、肝臓、腎臓などが損傷され、心不全などの多臓器不全になり、健康を損ない死に到ることもある。活性酸素は細胞膜だけでなく、遺伝子やミトコンドリア等を損傷し、ぶらぶら病など様々な病気の原因となる[4-8]。この活性酸素による細胞膜の破壊は発見者の名を取り、ペトカウ効果とも呼ばれる。カナダのアブラム･ペトカウ博士は細胞膜に放射線を当ててそれを破壊する実験をしていた。大気中では35Gy（グレイ）の線量でやっと膜は破れた。

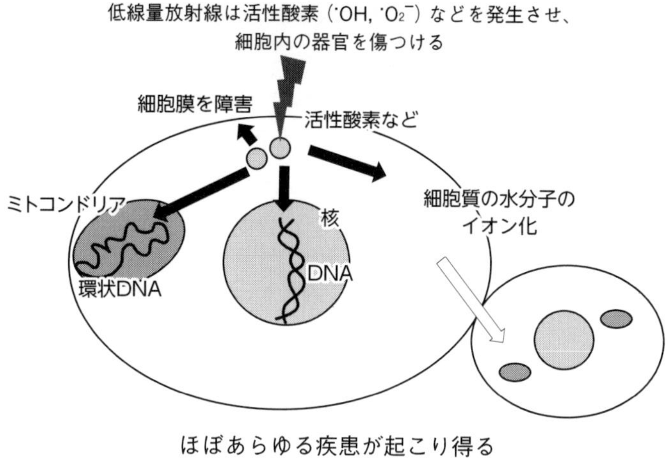

図４　ペトカウ効果

誤って食塩水中で放射線を当てるとわずか７mGyの線量で膜は破壊された。5,000分の１の線量である。原因は水などの分子に放射線が当たり、活性酸素やフリーラデイカルが発生し、それが連鎖反応的に脂肪膜を破壊することが分った。これが体内で起こると重大である。

ICRPはセシウム137を経口摂取した場合の線量係数（すべての化合物、ミリシーベルト/ベクレル）を1.3×10^{-5}mSv/Bqとしている。つまり１Bqのセシウム137を経口摂取すると1.3x10^{-5}mSvの被ばくになるとしている。逆に考えると１mSvの被ばくは77,000Bqのセシウム137の経口摂取に相当する。体重70kgの人でも体重１kg当たり1,000Bq以上となり、ベラルーシでは多臓器不全で死亡した人の体内蓄積濃度より数倍多いのである。このような病気を無視して、がんと遺伝的影響のみを考慮するICRPの実効線量係数は小さすぎるのである。この線量係数に基づいて食品の安全基準100Bq/kgが決められているから日本の食品基準は著しく緩和されている。後述する。

内部被曝に関しては肥田舜太郎、鎌仲ひとみ著『内部被曝の脅威』

が優れた解説書である[4]。肥田医師は広島で多くの被ばく者の治療の経験がある。ペトカウ効果についてもていねいな説明がある。ICRPの理論体系で取り込むことのできない典型的な例としてペトカウ効果がある。なぜなら体内の水などの分子が重要な役割を果たし、ICRP体系の中では取り扱えないからである。内部被ばくには他にも多くの重要な機構があると思われる。全身を総合的に診断する医学が必要である。

> 4.4.1.2　農業、漁業および食品管理
>
> （206）　長期においては、土壌中の汚染物質が継続的に移動する可能性がある場合には、農業に関する防護措置が依然として必要であることを意味する（3.4.2.2 項を参照）。食品の生産と消費が長期的に継続して制限される場合は、被災地の持続可能性に影響を及ぼす可能性がある。可能な限り、地元の生産を維持するための防護措置を実施すべきである。しかしながら農家は経済的に存続を維持できるよう、生産のタイプの変更（たとえば、食品の代わりに飼料、放射性物質の濃縮が少ない作物、種子、食品以外の生産）を検討しなければならない状況もあり得る。または、農業以外の土地利用への変更を検討する必要さえあるかもしれない。

現在の日本の食品基準100Bq/kgは緩すぎる。米などでも、福島原発事故以前は0.1Bq/kg程度以下であった。毎日100Bqのセシウム137を摂取するとICRPの計算で、1年で12,000Bq全身に蓄積し、体重60kgの人だと体重1kg当たり200Bq/kgとなり、ベラルーシにおいて多臓器不全で死亡した子どもや大人の蓄積濃度に近くなる。子どもの心電図異常は11Bq/kgで現れる。日本の食品基準は少なくとも2桁下げて1Bq/kg以下にすべきである[6,7]。

日本で実施されてきたホールボディ・カウンターは測定精度がよく

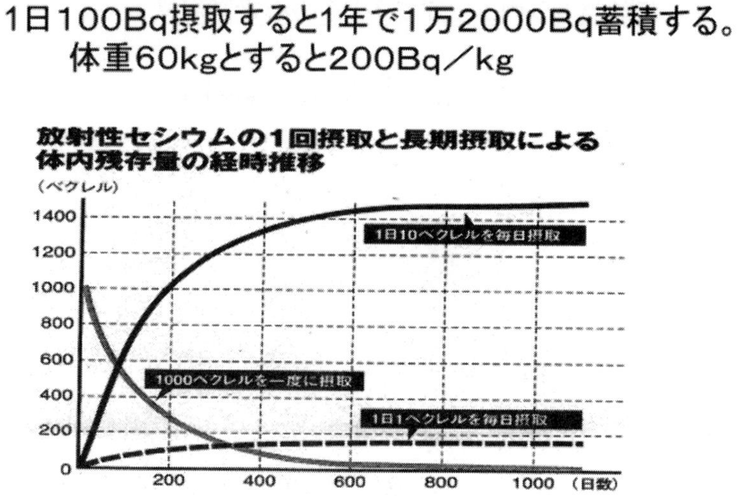

図５　セシウム137の摂取による体内蓄積量（ICRPによる）

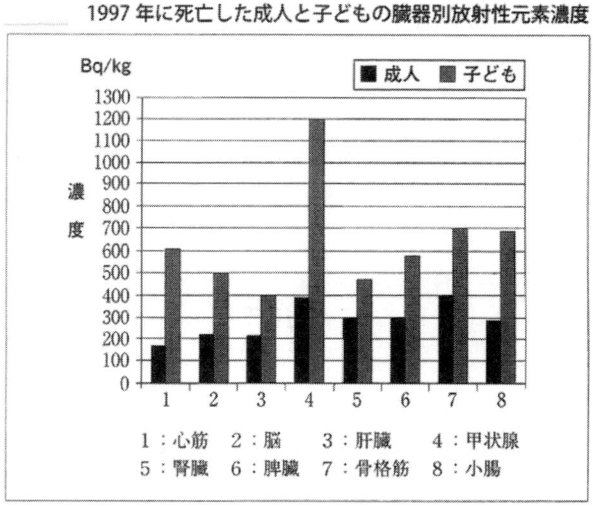

図６　セシウム137の取り込みにより死亡した子どもと大人の体内のセシウム濃度

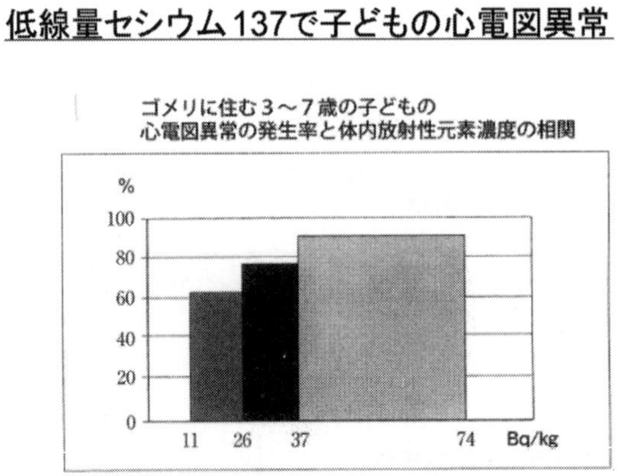

図7　子どもの体内のセシウム137の濃度と心電図異常の関係

ないが、尿の検査によってセシウム137が検出されている[9]。

> 結論
> (234) 影響を受けたすべての人々の放射線被ばくによる健康への悪影響に関する正当な懸念を超えて、大規模原子力事故がもたらす社会、環境および経済への影響および事故への対応は多大なものであり、非常に長い間続く可能性がある。事故が生み出した状況の複雑さとその影響の大きさを考えると、放射線防護は不可欠ではあるが、影響を受けるすべての個人や組織が向き合う問題に対処するために動員が必要とされるであろう貢献の一つの要素に過ぎない。

最大の問題である被ばくを、必要な寄与（contributions）の「一つの要素に過ぎない」とあえて軽視させようとしている。これは被ばく被害を隠蔽し、避難を困難なまま放置し、被曝させた上、その加害に対する賠償責任を逃れるために不自然な文章が挿入されたのであろう。放射線被ばく防護を任務とするICRPがこのような主張で良いのか。被ばくがなく、地震だけなら復旧は格段に容易になる。

> (235) このような状況において、放射線防護の第一の目的は、放射線による組織や臓器への重篤で早発の損傷の発生を防止し、社会、環境および経済に対する要因を考慮に入れて、将来のがんや遺伝性影響のリスクを合理的に達成可能な限り低くすることである。これは、初期の最初に開始され、数十年にわたって継続する可能性のある一連の補完的な防護措置によって達成される。防護措置は、放射線および放射線以外の事項を考慮して選択される。

「社会、環境および経済に対する要因を考慮に入れて」リスクを低くしても、被ばく被害は避けられず、ICRPは被害を容認している。それならばその健康被害やその予防・治療について触れないのは人権を無視していることになる。

> (237) 運用に際しては、放射線による健康と環境への潜在的影響を緩和するための委員会の主たる勧告は、参考レベルに基づく判断基準を使用した最適化の原則に依拠し、防護措置を選択し実施する。これは、サイト内とサイト外の被ばく状況の特徴や被ばくする人のカテゴリーを考慮して行われる。

参考レベルの20mSvなどの数値に科学的根拠が示されていない。ICRPはLNT説を採用しており、1mSvに較べて、20mSvでは20倍のがん死の増加がある。ICRPはそれを容認しているのである。しかし、原発による利益、ベネフィットを受けていないで一方的に被害を受けた一般市民・住民の被ばく線量が上げられる理由はない。これは、本来利害が同一のものに対して適用すべきリスク・ベネフィット論を利害が一致しない2者、それも加害者と被害者の間で、リスク・ベネフィット論を誤用したからである。

上記の参考レベルは外部被ばく線量のみを対象とし、内部被ばくを無視している。内部被ばくはペトカウ効果など極めて重要である。参考レベルまで被ばく線量を上げれば、健康被害の増加は避けられない。ICRPは被ばくによる健康破壊の治療・予防についてなぜ触れないのか。

5．おわりに

重大事故を取り上げたICRP新勧告を読むとICRPの立場が鮮明になり、よく理解できる。原発事故において事故を発生させた加害者と、豊かな自然の中で生活を営んできた被害者とが対立する現実を前にして、 ICRPは誰のために勧告をしているのか。ICRPは原発を推進する核の推進側のために、中立を装って勧告しているのである。従来もそうであったが原発の重大事故を取り上げると、人権が無視されていることが誰の目にも明らかである。現に、深まる対立の中で、政府や東電の加害者側に立って裁判で証言するICRP関係者が登場している。

私と同年の中川保雄氏は、32年も前に、核被害者の立場から「放射線被曝の歴史」を書いた[10]。その225ページに「今日の放射線被曝の基準とは、核・原子力開発のためにヒバクを強制する側が、それを強制される側に、ヒバクがやむをえないもので、我慢して受任すべきものと思わせるために、科学的装いを凝らして作った社会的基準であり、原子力開発の推進策を政治的・経済的に支える行政的手段なのである」と書いている。

当時、彼は48歳で、胃がんで体力の限界にあった。私が中山寺の彼の自宅を訪問し、慶子夫人と共にお会いした。いつもの穏やかな笑顔があった。同年の夫人もすでに永眠された。

ICRP新勧告は元原子力規制庁参与の松田文夫氏によって誠実な紹

介と批判が成されている。松田氏は「Publication146は被災者に被ばくの受容を説く偽の伝道書である」として警告されている[11]。執筆に当たりお世話になった松田文夫氏に感謝します。

参考文献

1．矢ヶ﨑克馬『放射線被曝の隠蔽と科学』緑風出版、2021年

2．西尾正道『被曝インフォデミック』寿郎社、2021年

3．「ウクライナ政府報告書（第３章、第４章）の日本語訳・修正版を掲載」市民科学研究室（shiminkagaku.org）　https://www.shiminkagaku.org/20130408-2/

4．肥田舜太郎・鎌仲ひとみ『内部被曝の脅威』ちくま新書、2004年第１刷、2011年第４刷発行

5．『The Petkau Effect 人間と環境への低レベル放射線の脅威』ラルフ・グロイブ/アーネスト・スターングラス著、肥田舜太郎/竹野内真理訳、あけび書房、2011年

6．ユーリ・I・バンダジェフスキー『放射性セシウムが人体に与える医学的生物学的影響：チェルノブイリ原発事故の病理データ』久保田護訳、合同出版、2011年

7．ユーリ・I・バンダジェフスキー、N・F・ドウボバヤ著、久保田護訳『放射性セシウムが生殖系に及す医学的社会的影響』合同出版、2013年

8．アレクセイ・ヤブロコフ他著、星川淳監訳『調査報告　チェルノブイリ被害の全貌』岩波書店、2013年、原著はAlexey V. Yablokov et.al.,Chernobyl: Consequence of the Catastrophe for People and the Environment, Volume 1181, Annals of the New York Academy of Sciences. 2010.

9．「論文「福島原発事故による南相馬市の住民の尿中放射性セシウム濃度測定による内部被ばく調査」が発行されました」ちくりん舎（NPO法人市民放射能監視センター）（chikurin.org）http://chikurin.org/wp/?p=6279
https://lib-extopc.kek.jp/preprints/PDF/2021/2125/2125002.pdf

10．中川保雄『放射線被曝の歴史』明石書店、2011年（初版は1991年）

11．松田文夫『ICRP勧告批判』吉岡書店、2022年

2　トリチウムを含む 福島原発放射性廃液の海洋放出に反対する

山田耕作

1942年兵庫県小野市生まれ、専門は理論物理学、京大名誉教授

2018年７月、「市民と科学者の内部被曝問題研究会」有志が名古屋に集り、上の題名の決議を決定し、内外から賛同を募った。８月には海外を含め賛同団体41、賛同者366名の連名で経済産業省、原子力規制委員会、東京電力、福島県に６回にわたり海洋放出を断念するよう要請した。

トリチウム水は濃縮されるのか

その際、決議文の「たとえ、希釈して海洋投棄されても食物連鎖などの生態系を通じて濃縮される」にドイツの科学者等から疑問が出された。結局、2000年代に英国政府を含めた一連の研究でトリチウム水として放出されても濃縮されることが確認された。

2009年のターナー論文序文に詳しく書かれている（Andrew Turner et al. Journal of Environmental Radioactivity 100 2009,890-895）。同論文によるとトリチウム水として放出されたトリチウムが様々な機構で濃縮されることが分った。注目すべきは有機物の弱い結合部位にトリチウムが取り込まれ、濃縮されることである。英国のテイム・デア・ジョーンズ博士によると、福島沖からトリチウム水を放出すると南向きの親潮海流に乗って日本沿岸を南下し、豊富な河口の有機物と結合し、有機結合型トリチウムになる危険性が高いとの指摘である。さらに親潮海流は北上する黒潮海流にぶつかり、太平洋を東に流れることが青山道夫氏達よって指摘されている。それ故、政府が40倍に薄めて捨てるというのは全く意味のないことである。危険物は閉じ込め隔離することが公害問題の原則である。

トリチウムの危険性はなぜ隠蔽されてきたのか

トリチウムは水爆製造に関わる元素で、その被曝の危険性は隠蔽されてきた。同じベータ崩壊でありながらベータ線のエネルギーが低いことを口実に経口摂取の場合のトリチウム水の実効線量係数（Sv/Bq）はセシウム137の約700分の１とされた。つまり、700分の１も危険性は小さいとされた。この過小評価は有機結合型トリチウムでも同様である。

「はんげんぱつ新聞」第549号（2023年12月号）天野光氏の報告によれば500Bq/リットルのトリチウム水で25日間育てたコイの卵で死滅数や異常数が有意に増加したとの論文が発表されたとのことである。

野村大成氏による体細胞突然変異の研究

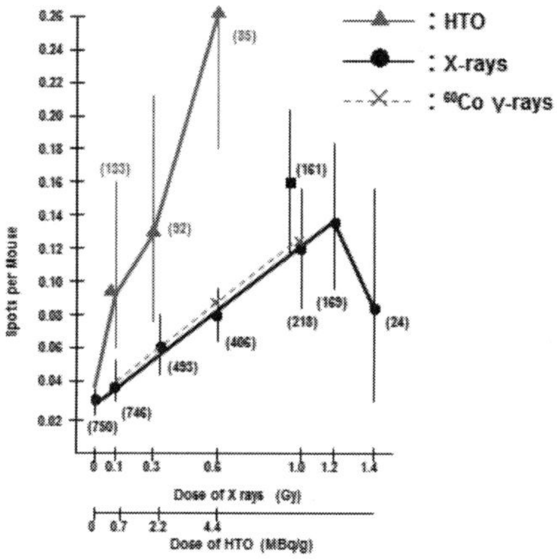

「トリチウム資料集・1988」で野村大成氏はトリチウム水投与によるマウスの体細胞突然変異を研究し、同書288ページの図の結果を得ている（本行忠志氏のご厚意により右に示す）。同図によれば、HTOで60μCi/gが、X線で130R（レントゲン）に相当すると言うことが示されている。

つまり、2.22x10^{6}(60x37x10^{3})Bq/gが照射線量で1.3Gyに相当するとされている。縦軸は突然変異の割合であり、0.26は100匹中26匹に変異があったことを示す。

生物学的効果比（RBE）が2.7（0.6Gyにおける比を参照）であり、トリチウムのベータ線がX線、ガンマ線に較べ約３倍であり、精原細胞と同様の変異の頻度であることを示している。

福島の汚染水海洋放出強行は核燃のトリチウム放出を守るため

トリチウムは原子炉においてはウラン235が３つに壊れる３体核分裂反応によって生じる。このトリチウムは通常燃料棒の鞘の中に閉じ込められており、外部に出ることはない。ただ、燃料棒が破損したり、炉心が溶融すれば外部に放出される。六ヶ所村の再処理工場ではこの燃料棒を切り刻んでトリチウムを外部に放出する。福島原発事故の汚染水の海洋放出が執拗に強行されるのは核燃再処理工場からのトリチウムの大量放出を維持するためと考えられる。

環境放射能汚染とウイルス変異の加速化、パンデミック反復の危険性

現在のパンデミックも地球生態系の破壊に起因すると考えられる。アレクセイ・Ｖ･ヤブロコフ達による『チェルノブイリ被害の全貌』の11章によると、チェルノブイリ事故以後、細菌の突然変異が促進されたという。微生物は、放射能汚染・複合環境汚染の影響を受けやすく、それによる突然変異の加速と高毒性のウイルスの出現確率の上昇はパンデミックと深く関係していると考えられる。未来の世代のためにも地球を汚染してはならない。